LA MISIÓN DEL AMOR

UN VIAJE SACRAMENTAL

HACIA EL ÉXITO MATRIMONIAL

Por:

Dr. John Curtis
Fr. Dominic McManus
Mike Day

Imprimatur:

In accordance with c. 827, permission to publish is granted on June 25, 2014, by Most Reverend Francis J. Kane, Vicar General of the Archdiocese of Chicago. Permission to publish is an official declaration of ecclesiastical authority that the material is free from doctrinal and moral error. No legal responsibility is assumed by the grant of this permission.

 Published by New Priory Press,
1910 South Ashland Avenue, Chicago, IL 60608-2903
NewPrioryPress.com

El índice de contenidos

Prólogo

Comencé mi carrera como terapeuta matrimonial en 1975. Luego, tras diez años como psicoterapeuta, pasé a mi actual profesión como asesor de desarrollo organizacional. Al principio, pensé que había dejado atrás el campo de la terapia matrimonial al pasarme al campo del desarrollo organizacional, que parecía completamente desconectado.

Sin embargo, la síntesis de estos dos campos se convirtieron en la base de mi tesis doctoral en 2005 cuando estudié la relación entre la satisfacción matrimonial de las parejas compuestas por dos individuos profesionales y su compromiso con sus empleadores. El resultado de mi investigación dio lugar a mi primer libro, El negocio del amor, publicado en 2006. Fue mi intento de mostrarles a las parejas cómo usar estrategias simples y comprobadas, provenientes del mundo de los negocios, para aumentar su satisfacción matrimonial.

Aunque haya llevado treinta años, parezco haber "casado" la terapia matrimonial con el desarrollo organizacional de una manera que nunca podría haber imaginado. Como resultado, comencé a dar conferencias basadas en El negocio del amor en congresos nacionales sobre educación matrimonial. Fue en uno de esos eventos, en 2009, cuando conocí a Michael Day, director de los ministerios de vida familiar de la diócesis de St. Augustine, en Florida. Él se mostró tan entusiasmado con mi propuesta sobre cómo construir un matrimonio a partir de una perspectiva de negocios, que insistió en que encontráramos una manera de "traducir el libro al católico".

Tras muchos meses de conversaciones y planes en torno al nuevo libro, decidimos agregar un tercer miembro a nuestro equipo para asegurarnos de que el texto reflejara auténticamente el camino propuesto por la Iglesia Católica para llegar al santo matrimonio. Dimos con el Fraile Dominic McManus, O.P., un joven teólogo de la orden dominicana que enseñaba en el Instituto de Teología en St. Louis. El Padre Dominic adaptó el libro brillantemente, convirtiéndolo en La misión del amor: un viaje sacramental hacia el éxito matrimonial, que publicamos en 2014 a través de New Priory Press.

Dr. John Curtis
Julio de 2014

Prefacio: Este libro es para ti

Hay un millón de razones por las que puedes estar leyendo este libro. Tal vez fue una recomendación aparentemente al azar de Amazon o viste que un amigo lo comentaba en Facebook o Goodreads. Tal vez tu párroco, el diácono o la pareja que te ayuda con tus preparativos nupciales te ha pedido que leas esto antes de planear tu boda. O tal vez tu mamá te lo dio en la cocina con una mirada sabia cuando finalmente le admitiste que compartes tu apartamento con tu novia. Cualquiera sea la manera cómo llegaste a este libro, hay solamente una razón para continuar leyéndolo: ha sido escrito para ti.

Este libro existe porque Dios te ama y porque le importas a Su Iglesia. Fue escrito porque a través de la historia de la Iglesia, especialmente la de los últimos treinta años, papas, obispos y teólogos de todo el mundo se han esforzado por enseñar las bondades y el valor del matrimonio y de la vida familiar. Estás leyendo este libro porque los autores creen tanto en esa enseñanza que se han visto obligados a compartirla, acompañándola de buenas ideas para que funcione en tu relación, sin importar de dónde vienes o dónde te encuentras.

Estás leyendo este libro porque Dios tiene una misión para ti, para tu amor y para tu matrimonio. Cuando profesaste tus votos nupciales, hace 50 años o 5 minutos, Dios te dio un propósito en tu vida en matrimonio. Si aún no has hecho esas promesas, entonces Dios te está preparando para cumplir ese propósito, para completar esa misión. En pocas palabras: la razón final y absoluta de su vida juntos es mostrar, a través del amor que se brindan el uno al otro, el amor que Cristo siente por Su Iglesia, el amor que Dios siente por Su pueblo y la grandeza a la cual Dios nos llama a cada uno de nosotros.

Juntos, ustedes son capaces de más, de mucho más de lo que serían capaces si estuvieran separados. Esa es la gran misión que Dios les está dando en su relación. Dios anhela convertirlos en santos y quiere lograrlo a través de la pareja. Juntos, Él quiere que ustedes ayuden a todos los que conocen a convertirse en santos, también. Como pareja, ustedes no solamente viven juntos para sobrevivir sino que están llamados a prosperar. Dios los ha unido en matrimonio para que sean exitosos; su matrimonio es llamado a la grandeza, ¡y esa grandeza será contagiosa!

Si este concepto te parece extraño, no eres el único. «El éxito» y «la grandeza» no son términos comúnmente asociados con el matrimonio hoy en día y, desafortunadamente, lo que la mayoría de la sociedad ha visto es el fracaso. Dependiendo de dónde vives, de tu edad y de otras variables demográficas, las probabilidades de éxito de tu relación actual o futura son medianas con suerte. ¿Para qué intentarlo, entonces? Obviamente, mucha gente se las ingenia para vivir vidas relativamente felices, en pareja, sin querer casarse. ¿Para qué tomarse la molestia?

Hay una cosa clara: las formas actuales de construir una relación no abarcan las realidades del amor y el matrimonio en el siglo XXI. Por lo tanto, la única manera de que una pareja pueda esperar resultados diferentes es haciendo algo diferente. Lo que proponemos en este libro es diferente. No es algo exótico o experimental, sino una síntesis de estrategias de negocios comprobadas y de verdades teológicas de siempre.

La unión de estos dos conceptos puede parecer extraña y paradójica, especialmente al ser aplicada al amor. Pero este libro trata enteramente sobre la intimidad. Nada destruye una relación amorosa más rápido que las luchas de poder, los conflictos que no han sido resueltos, los sentimientos de inequidad y el darse cuenta de que ambos tienen una visión diferente de lo que es la vida juntos. Este libro habla de cosas no convencionales y las presenta de una manera nueva que muy posiblemente nunca antes hayas considerado.

Ésta es una oportunidad de descubrir la grandeza inestimable del llamado a ser hombre y mujer unidos en matrimonio y de poder lograrlo a través de un plan. Ustedes pueden aceptar este desafío para su matrimonio y luchar por el éxito en el emprendimiento más grande de su vida, o pueden probar lo mismo que se ha venido haciendo por décadas sin esperar mayores resultados que los ya conocidos.

La elección – la misión – es de ustedes.

Consideraciones especiales antes de comenzar

El matrimonio ha cambiado mucho a través del tiempo, especialmente en los años más recientes. Hasta no hace demasiado, el divorcio era algo muy poco habitual; ahora, en cambio, es tan común como el casamiento. Asimismo, hasta no hace demasiado había menos gente viviendo en pareja antes de casarse que la que vivía en pareja. Hoy, la mayoría de las personas cohabitan, al menos por un tiempo, y en muchos casos no solamente una sola vez. Este cambio no surgió de repente, sino que fue una respuesta gradual – y, francamente, comprensible – al dolor experimentado en los matrimonios fallidos. Esto no quiere decir que todo aquel que cohabite con alguien proviene de un hogar quebrado, o que tiene dificultad a la hora de comprometerse, o nada parecido, sino que a fin de cuentas la cohabitación está diseñada con la esperanza de protegerse uno mismo de las consecuencias del divorcio.

Si no estás viviendo en pareja, entonces te invitamos a pasar al próximo capítulo y comenzar *La misión del amor*. Pero si estás viviendo en pareja, habrá situaciones y preocupaciones únicas a tu arreglo que deberán ser discutidas antes de proseguir. Hay muchos estigmas e incomprensión que rodean la cohabitación, y tú mismo tal vez te sientas en conflicto. La mayoría de las parejas cohabitan con buenas intenciones y podría parecer que la Iglesia invalida algo bueno, pero en esencia solamente busca ofrecer ayuda para lograr una relación aún mejor. Te alentamos a leer primero el apéndice sobre la cohabitación y otras consideraciones que se encuentra al final del libro para poder sacar el máximo provecho de los ejercicios que profundizarán el vínculo entre tú y tu pareja de una manera que nunca te imaginaste. ¡Estás dando el primer paso en un viaje increíble!

Introducción: En una misión de Dios

« No nos van a alcanzar. Estamos en una misión de Dios. »
– Elwood Blues

Los Blues Brothers, la película clásica de 1980, narra las aventuras de Jake y Elwood Blues, dos músicos que buscan reunir a una banda famosa, ya desmantelada. La película está llena de choques, explosiones, peleas en cantinas y hasta unos nazis del estado de Illinois. Sin embargo, los muchachos perseveran. ¿Por qué? Porque tienen una misión – una misión de Dios. Reunir la banda no es solamente un acto nostálgico para Jake y Elwood. Ellos tienen una visión, un objetivo hacia el cual avanzan: recaudar dinero para salvar el orfanato en el cual crecieron. Reunir la banda y volver a tocar música es la manera que tienen de concretar su visión. Es su misión de vida. Esta misión les da significado a sus vidas, les presenta un propósito y una identidad que gobiernan su relación, y les brinda un objetivo hacia el cual avanzar tanto individualmente como en grupo. Esa misión le da dirección a los *Blues Brothers* y, como la misión es de Dios, les brinda la gracia necesaria para poder lograrla.

Lo que se le brinda a una pareja casada es uno de los regalos más grandes. El *Catecismo de la Iglesia Católica*, el recurso oficial para sus creencias, afirma lo siguiente:

> El sacramento del Matrimonio representa la unión entre Cristo y la Iglesia. Les da a los esposos la gracia de amarse con el mismo amor con que Cristo ama a su Iglesia. La gracias del sacramento, por ende, perfecciona el amor humano conyugal, fortalece su unidad indisoluble y los santifica en su camino hacia la vida eterna. (1661)

Ésta no es una única referencia en el *Catecismo*: el matrimonio está por doquier en las Escrituras. Comienza con el matrimonio de Adán y Eva (Gen. 2), termina con el Banquete de las bodas del cordero (Rev. 19) y no hay otra metáfora más utilizada en el Nuevo Testamento para explicar el amor de Cristo por nosotros. De hecho, la misión y el propósito que les han sido dados a ustedes se entiende mejor que nunca en lo que tal vez sea el pasaje más malinterpretado de su carta a los efesios. El texto en sí nos puede incomodar hoy en día, pero trata de leerlo más allá de su firme lenguaje para entender lo que realmente dice:

> Someteos unos a otros en el temor de Dios. Las casadas estén sujetas a sus propios maridos, como al Señor. Porque el marido es cabeza de la mujer, así como Cristo es cabeza de la iglesia, la cual es su cuerpo, y él es su Salvador. Así que, como la iglesia está sujeta a Cristo, así también las casadas lo estén a sus maridos en todo. Maridos, amad a vuestras mujeres, así como Cristo amó a la iglesia, y se entregó a sí mismo por ella, para santificarla, habiéndola purificado en el lavamiento del agua por la palabra, a fin de presentársela a sí mismo, una iglesia gloriosa, que no tuviese mancha ni arruga ni cosa semejante, sino que fuese santa y sin mancha. Así también los maridos deben amar a sus mujeres como a sus mismos cuerpos. El que ama a su mujer, a sí mismo se ama. Porque nadie aborreció jamás a su propia carne, sino que la sustenta y la cuida, como también Cristo a la iglesia, porque somos miembros de su cuerpo, de su carne y de sus huesos. Por esto dejará el hombre a su padre y a su madre, y se unirá a su mujer, y los dos serán una sola carne. Grande es este misterio; mas yo digo esto respecto de Cristo y de la iglesia. (Efesios 5:21-32)

Es fácil detenerse en el lenguaje de sumisión, pero eso lleva a distraerse de lo que este pasaje nos dice. El mismo San Ambrosio se dio cuenta de esto, a pesar de haber estado viviendo en una sociedad mucho más patriarcal que la actual:

> Tú no eres su amo, sino su esposo; ella no te fue dada a ti para ser tu sierva, sino tu esposa… Sé recíproco en su atención hacia ti y tenle gratitud por su amor. La forma más perfecta del amor, la forma más perfecta de la amistad, es la que se encuentra en el matrimonio cristiano, porque allí se manifiesta el amor de Cristo por su Iglesia en las vidas de aquellos que son fieles. (San Ambrosio, *Hexameron*, V 7, 19: CSEL 32, I, 154.)

¿Sabías que el único lugar en el Nuevo Testamento donde se usa la palabra «sacramento» es el pasaje anterior? Por supuesto, no es realmente la palabra «sacramento», que proviene del latín, sino la palabra griega de la cual proviene el «sacramento» cristiano: *mysterion*. «Esto es un gran misterio», nos dice San Pablo, «pero yo hablo en referencia a Cristo y la Iglesia». Esto quiere decir que la manera a través de la cual logramos entender lo que son los sacramentos es observando el sacramento más natural del mundo: el matrimonio.

Cosas visibles e invisibles

Una muy buena definición de la palabra *sacramento* es que es un signo visible de una realidad invisible, establecida por Cristo, quien otorga gracia. Tal vez hayamos aprendido esto o algo similar en las clases de catecismo, imaginándonos probablemente los sacramentos más «de iglesia» , como el Bautismo y la Comunión. Poner agua en la cabeza de un bebé (o de un adulto) significa un lavado. Pero el lavado que significa no es un lavado exterior sino uno interior, y ese lavado se lleva nuestros pecados.

Por supuesto, el pecado puede ser perdonado solamente por la gracia especial de Dios, y así es como sabemos que los sacramentos brindan gracia. También podemos pensar en términos de la Santa Comunión: el pan y el vino naturalmente representan comida y bebida, pero con las palabras del sacerdote se convierten en algo más. Parecen estar alimentando nuestros cuerpos, pero en realidad están alimentando nuestras almas. ¿Cómo puede todo esto aplicarse al matrimonio?

Esto, por supuesto, es dar vuelta la analogía. Fue San Pablo quien utilizó la palabra *mysterion* para hablar del matrimonio; de hecho, lo que dijo exactamente fue *mega mysterion* (en latín: *magnum mysterium*), un lenguaje que se reservaba solamente para el Misterio de la Encarnación. El mismo Jesús es el *magnum mysterium*: el misterio más grande «contenido» dentro de la humanidad de Cristo es la totalidad de su divinidad. Entonces, los sacramentos o misterios están vinculados a la Encarnación: se mueven de la misma manera y continúan su obra.

Esta es la razón por la cual el Papa Juan Pablo II se refirió al matrimonio como «un sacramento natural». Está claro que los protagonistas del matrimonio son seres humanos reales y verdaderos. Y, al mismo tiempo, Dios obra a través de ellos para darse a conocer y para hacerse presente el uno ante el otro. Los esposos llegan a Dios a través de sus esposas; las esposas, a través de sus esposos. En su rutina diaria, en los eventos cotidianos aparentemente mundanos, las acciones están llenas del Espíritu Santo. Esto se torna particularmente obvio con el nacimiento de los hijos. Es como si el amor de la pareja desbordara de tal manera que se transforma en otra persona.

Por supuesto, el matrimonio logró todo esto antes de la llegada de Cristo. Aunque la mayoría de los matrimonios estaban preestablecidos en aquellos días, las parejas igualmente tendían a amarse (al menos tanto como ahora) y su amor se convertía en una especie de encarnación en el nacimiento de sus propios hijos. Pero Jesús cambió algunas cosas o, mejor dicho, las esclareció Todos saben que fue Jesús quien dijo que el matrimonio es indisoluble, que el divorcio fue desde el principio en contra del diseño de Dios, y discutiremos esto más adelante. Pero al afirmar esto, Jesús no estaba haciéndonos la vida más difícil o ofreciéndonos una nueva distinción legal. Lo que estaba haciendo era mostrarnos el significado del signo del matrimonio, y eso es lo que marcó la diferencia.

Una pareja hecha en el cielo (¡y para el cielo, también!)

Varias veces, Jesús se refirió a sí mismo como «el novio» (Marcos 2:19, Mateo 9:15, Mateo 25:1-13, Juan 3:29). ¿Quién, entonces, es la novia de Jesús? Para responder esto, el pasaje de Juan es de gran importancia: «Esto es un gran misterio», escribe, «pero yo hablo en referencia a Cristo y la Iglesia». La Iglesia es la novia de Cristo, tanto como institución y, más profundamente, como todos nosotros. San Pablo dice que los esposos deben amarse y respetarse como Cristo y la Iglesia. La realidad que representa el matrimonio cristiano, entonces, y el misterio que nos presenta, es aquel de Cristo y la Iglesia. Donde esté la pareja cristiana, donde viva la familia cristiana, allí están Cristo y Su Iglesia.

Por esto el Segundo Concilio Vaticano se refiere a la familia como «la iglesia doméstica». Es poco probable que cualquiera de nosotros, individualmente o en pareja, represente perfectamente a la Iglesia, pero el misterio del amor de Cristo por su Iglesia se manifiesta cuando nos brindamos un amor no egoísta cada día, cuando vivimos y rezamos en conjunto, cuando les enseñamos la fe a nuestros hijos y cuando nos alentamos mutuamente a crecer en la virtud y la santidad. Esto es particularmente cierto en los votos del matrimonio, porque cuando decimos «sí, quiero» lo que verdaderamente decimos es lo que Cristo dijo en la última cena, que luego nos demostró en la cruz: «Este es mi cuerpo, que es para ti». Por esta razón, el sexo sano es una parte esencial en el matrimonio santo.

El *Catecismo de la Iglesia Católica* nos dice:

> «Así como antaño Dios se encontró con Su pueblo en un pacto de amor y fidelidad, también nuestro Salvador, el esposo de la Iglesia, se encuentra con los esposos cristianos a través del sacramento del Matrimonio». Cristo vive con ellos, les da la fuerza para llevar sus cruces y seguirlo, para levantarse tras caerse, para perdonarse mutuamente, para llevar las cargas del otro, para «estar sujetos el uno al otro a partir de la reverencia hacia Cristo» y para amarse con un amor sobrenatural, tierno y fructífero. En las alegrías de su amor y de su vida familiar, Él les permite probar aquí, en la Tierra, cómo será el Banquete de las bodas del cordero (*CIC* 1642).

Así como la Eucaristía no solamente permite que Cristo se haga presente ahora sino que también nos deja entrever el banquete que vendrá, el matrimonio nos da la mejor impresión de cómo serán la vida y el amor en el Cielo. Esto es verdad no solamente en aquellos que están casados: allí, en el Cielo, estaremos todos casados, no unos con otros sino con Cristo.

Llamados por su nombre

Tendemos a pensar en la palabra «vocación» simplemente en términos de vocaciones religiosas, pero eso es una definición muy limitada para el amplio concepto que en realidad es. «Vocación» significa «llamado» – en latín: *vocare*, «llamar» – . Dios nos llama a muchas cosas. Nos llama, nos atrae, nos enseña, nos forma: en Su ley, de acuerdo a las virtudes, a la fe en Jesucristo y a la vida en la Iglesia. Esto es lo que en el Concilio Vaticano II la Iglesia denominó «el llamado universal», o la «vocación universal», a la santidad. Todos somos llamados a ser santos. Dios quiere que todos seamos santos.

Pero Dios no llama a todos a la santidad de la misma manera, y nadie es llamado a una vocación de manera general. Dios no atrae a cualquiera al sacerdocio o a la vida religiosa, sino que uno es llamado al sacerdocio dentro de una diócesis en particular (como una provincia dentro de la Iglesia). Del mismo modo, nadie es llamado a la vida religiosa como tal, sino que es llamado a la vida en una cierta comunidad con ciertas personas específicas. Si esto es verdad para el sacerdocio y la vida religiosa, que son formas de vivir más inherentemente «institucionales», ¿cuánto más verdad es en el matrimonio cristiano? Nadie es «llamado al matrimonio» en sí, sino que uno es llamado a casarse con alguien en particular. El punto es que el complejo de virtudes y vicios, de emociones positivas y negativas, de fuerzas y debilidades personales encajan perfectamente para ayudar y formar al otro. «La vocación al matrimonio está escrita en la misma naturaleza del hombre y la mujer al provenir de la mano del Creador», nos dice el *Catecismo* (*CIC* 1603). Entonces, mientras que el llamado al matrimonio está generalmente implícito en cada persona, Dios siempre llama al mismo de manera específica, a personas específicas y en momentos específicos.

Por esto es que los cristianos son los primeros románticos (recuerde que la palabra «romance» viene de «romano»). No es que seamos particularmente sensibles o que pensemos que nuestras emociones deben guiarnos a fin de cuentas, sino que les damos un lugar a las emociones en la vida y el amor compartidos. En realidad, le presentamos una mejor propuesta al verdadero amor que los mismos cuentos de hadas. La verdad que existe en los cuentos de hadas es, últimamente, la verdad que vivimos en el matrimonio cristiano. Es el tipo de amor que mueve montañas y parte los mares, el tipo de amor fuerte, profundo y poderoso que hasta les devuelve la vida a los muertos.

Algo difícil de vender

Por supuesto, todo esto es más fácil de decir que de hacer. El matrimonio es algo difícil de vender estos días. Las relaciones se desintegran por doquier. Los diarios y las revistas con columnas de consejos se dirigen tanto a quienes se divorcian como a quienes permanecen casados y comprometidos. Y todos sabemos que son más los que viven en pareja antes de casarse que los que no lo hacen. La mayoría de aquellas parejas justifican su cohabitación diciendo que solamente están tratando *de asegurarse* que la relación funcione antes de comprometerse a la misma.

Y, en cierto modo, ¿quién puede culparlos? Que no quede duda de que la Iglesia se opone a la cohabitación por varias razones; sin embargo, hay que reconocer que las parejas de veinte a cuarenta años le tienen mucho miedo al matrimonio, debido a sus experiencias culturales y personales. Su generación fue la primera durante la cual el número de matrimonios exitosos igualaron el número de matrimonios fallidos. Sus padres fueron quienes ejemplificaron la mayor inestabilidad en la historia. Y ellos fueron los hijos que sufrieron el paso por las cortes de justicia, tratando de determinar qué es justo en temas como la manutención de los hijos, los derechos de custodia y las visitas. Habiendo visto lo que sucede cuando los matrimonios fracasan, habiendo experimentado en carne propia los peligros de una relación fallida y sus consecuencias, ¿qué ser racional querría probar suerte en este ámbito?

Es por esto que las buenas parejas cristianas son tan importantes. Es por esto que los matrimonios – los matrimonios buenos, fieles y comprometidos – son el mejor testimonio de lo que los cristianos pueden ofrecerle al resto del mundo como prueba de lo que es posible. La mayoría de las parejas no cohabitan para siempre: se casan y se comprometen de por vida, o se separan. Esto no es casualidad. La imitación nunca es tan buena como lo original. Lo que sea que lo atrae a uno a la copia eventualmente despertará un deseo por lo auténtico. Pero el compromiso asusta. No es posible si no hay fe, al menos fe en la otra persona – y probablemente en algo más, también – .

Afortunadamente, sabemos en Quién debemos depositar nuestra plena confianza. El *Catecismo* reconoce este miedo y brinda una respuesta:

> La insistencia inequívoca de la indisolubilidad del vínculo matrimonial puede dejar perplejos a algunos y puede parecer una exigencia imposible de cumplir. Sin embargo, Jesús no ha depositado en los esposos una carga imposible de llevar, o muy pesada – más pesada que la Ley de Moisés. Al restaurar el orden original de la Creación, perturbado por el pecado, Él mismo les da la fuerza y la gracias para vivir el matrimonio en la nueva dimensión del Reino de Dios. Es siguiendo a Cristo, renunciando a sí mismos y llevando sus cruces, que los esposos podrán «recibir» el significado original del matrimonio y vivirlo con la ayuda de Cristo. Esta gracia del matrimonio cristiano es el fruto de la cruz de Cristo, la fuente de la vida cristiana. (CIC 1615)

Entonces sí todo es un poco como un cuento de hadas, en que hay un hechizo que ha nublado nuestra visión. La cruz es como el beso del Príncipe Encantado: rompe el hechizo y nos permite ver claramente otra vez.

Una alta vocación

Considerando todo esto, ¿cuál es, entonces, la visión correcta sobre el matrimonio? Jesús dice esto al respecto:

> ¿No han leído que en el principio el Creador «los hizo hombre y mujer» y dijo: «Por eso dejará el hombre a su padre y a su madre, y se unirá a su esposa, y los dos llegarán a ser un solo cuerpo»? Así que ya no son dos, sino uno solo. Por tanto, lo que Dios ha unido, que no lo separe el hombre. (Mateo 19:5-6)

Dios tiene un plan para el matrimonio. Desde el comienzo de la Creación, él nos ha hecho los unos para los otros, y el regalo que nos hacemos es total, fructífero y fiel.

Pero como con todo, Jesús va más allá de la simple restauración lo que perdimos con el pecado.

> Los esposos son por tanto el recuerdo permanente, para la Iglesia, de lo que acaeció en la cruz; son el uno para el otro y para los hijos, testigos de la salvación, de la que el sacramento les hace partícipes. De este acontecimiento de salvación el matrimonio, como todo sacramento, es memorial, actualización y profecía; «en cuanto memorial, el sacramento les da la gracia y el deber de recordar las obras grandes de Dios, así como de dar testimonio de ellas ante los hijos; en cuanto actualización les da la gracia y el deber de poner por obra en el presente, el uno hacia el otro y hacia los hijos, las exigencias de un amor que perdona y que redime; en cuanto profecía, les dala gracia y el deber de vivir y de testimoniar la esperanza del futuro encuentro con Cristo». (*Familiaris consorcio* 13)

En simples términos, los esposos se salvan el uno al otro y crían a sus hijos no solamente para el bien de la familia y de su nombre, sino también para el bien de la Iglesia y del mundo entero. Los esposos cristianos son para cada uno la última esperanza de llegar al Cielo. También, son los representantes de la Iglesia frente al mundo y frente al signo sacramental, tanto en su relación de pareja como en las relaciones que tienen con los demás. llevando la buena nueva de que Jesús murió por nosotros en la cruz y que ahora todo, absolutamente todo, es diferente.

La misión del amor, entonces, concibe el matrimonio como una vocación arraigada en un propósito. El grado de alegría y satisfacción en la pareja dependerá del compromiso con ese propósito.

Esto no debe sorprender a nadie. Somos, después de todo, seres orientados a propósitos. De hecho, la condición humana puede ser reducida a tres preguntas sencillas: 1) ¿Quién soy? 2) ¿Hacia dónde voy? 3) ¿Por qué? Cada lucha emocional en tu vida es el resultado de un conflicto al tratar de responder estas preguntas, o la falta de capacidad para responderlas. Como hombre y mujer, cada uno con un propósito único e individual y unidos en matrimonio, el estado de su relación dependerá de la habilidad para responder esas mismas preguntas: 1) ¿Quiénes somos? 2) ¿Hacia dónde vamos? 3) ¿Por qué?

Segundo, *La misión del amor* enfatiza la necesidad del planeamiento. Como dijo benjamin Franklin: «Aquellos que fallan en planear, planean fallar». No es suficiente reconocer nuestro propósito: debemos crear los recursos necesarios para lograrlo. Por ejemplo, así como las empresas y organizaciones exitosas se basan en principios establecidos y en prácticas sólidas, también lo está el amor de Cristo destinado a completar Su misión. Con los conceptos y actividades de este libro, podrás crear y definir un «nosotros» . Esto será importante para ustedes, como pareja, para entender los «planos» del matrimonio, aprendiendo la teología detrás del sacramento, que los ayudará en el desarrollo de su visión para una vida juntos. Es crucial que ustedes se conviertan en sus propios «mecánicos» incorporando herramientas efectivas para la comunicación y la resolución de conflictos, para asistir en el proceso de desarrollar objetivos para su relación y para lidiar con cualquier conflicto que surja a través de este proceso de crecimiento. Pero éste no es el centro de este libro. *La misión del amor* es ese primer paso de construir los cimientos sobre los cuales construirán el resto de su vida matrimonial.

Los conceptos y las actividades de este libro no son para una sola audiencia: pueden ser incorporados exitosamente en un romance que recién empieza, o en un matrimonio joven, o en el proceso de validación y el fortalecimiento de una relación de décadas. Tanto los objetivos de cada capítulo, listados al principio de los mismo, como el resumen al final, los ayudarán a enfocarse en las porciones del libro que más relevancia tienen para la situación en la que se encuentran. Este libro también puede llevar a entender el fracaso de las relaciones pasadas y les muestra cómo la experiencia adquirida puede ayudar a tomar mejores decisiones en el futuro. El modelo del libro es muy simple y directo, pero queden advertidos: aplicarlo a su relación tal vez no sea fácil y hasta puede llegar a ser inquietante. A la vez, las actividades del libro también serán divertidas y energizantes, acompañándolos en el proceso de autodescubrimiento, explorando todos los aspectos de su relación. ¡Disfruten del viaje, y estén listos para la mejor de las sorpresas!

Libro I: ¿Quiénes somos?

Uno de los cambios más difíciles que enfrentan los recién casados es el paso de una mentalidad de «yo» a una mentalidad de «nosotros». En general no es algo consciente, pero es muy difícil dejar de pensar en términos de «ella y yo» o «él y yo», y empezar a pensar en «nosotros». Pero aún así en la amistad del matrimonio los «yoes» individuales ceden, de alguna manera, al «nosotros» colectivo. Karol Wojtyla, que luego se convertiría en el Papa Juan Pablo II, lo dijo así:

> La esencia del amor comprometido [marital] es el darse a sí mismo, la rendición del «yo» de uno. Eso es diferente de la atracción, el deseo, o incluso la buena voluntad, y es más que todos ellos. Cuando el amor comprometido entra en esta relación interpersonal, lo que resulta es algo más que la amistad.
>
> Dos personas se entregan la una a la otra... El amor más completo, más incondicional, consiste precisamente en la entrega de sí mismo, en darle propiedad a otro del «yo» inajenable e intransferible de cada uno. Esto es paradójico por partida doble: primero en el hecho de que es posible salirse así del propio «yo», y segundo en que el «yo», lejos de quedar destruido o disminuido, se ve ensanchado y enriquecido. (Karol Wojtyla, *Amor y responsabilidad*, 96-97).

Es en el darnos a nosotros mismos que nos encontramos, así como Jesús dijo que «quien quiera encontrar su vida la perderá» (Mateo 16:25). En el matrimonio cristiano nos entregamos por completo el uno al otro, así como el otro se entrega a nosotros. En esta entrega mutua y recíproca aparece algo nuevo y maravilloso, el nacimiento del «Nosotros».

De hecho, esta verdad se puede ver más tangiblemente en el más grande regalo del amor marital: el milagro de la vida humana. A través de la unión de un hombre y una mujer, el amor convoca a la existencia a un ser humano que no es sólo el hombre o sólo la mujer, sino una nueva vida que es ese mismo amor personificado. Es su «nosotros», su carne una, literalmente.

Ahora, cada compañero es ya en sí mismo una persona única e irrepetible, y así el acto de la donación de sí mismo y la recepción de otra persona completamente única resulta literalmente en una variedad infinita de «Nosotros». Este nuevo «Nosotros» no los hará menos ellos mismos, sino más. El «ustedes» que son juntos va a ser más que cualquiera de ustedes dos podría haber sido jamás por separado. Pero el hallar, nombrar y articular este nuevo «Nosotros» es una tarea muy difícil. Mucho de ella no es muy consciente. Es la tarea normal del noviazgo y el cortejo, y del conocerse mutuo. Parte de la razón por la que las parejas se comprometen es precisamente para darle a la pareja la libertad de llevar a cabo esta dinámica sin la presión de tener que cortejarse constantemente. Desde luego, esta tarea nunca termina, pero para el momento de la boda la pareja debe tener una buena idea, razonablemente suficiente, de quiénes son «ellos», juntos, como una unidad y en contraste a dos individuos distintos. Los próximos capítulos se concentran en cómo desplazar sus miradas del «yo» al «nosotros». La intención es ayudarles a tomar la visión interior de cada uno, revelarla al otro, y crear una visión compartida que no es ni el uno ni el otro sino algo completamente único de aquel «quién» que ustedes dos son juntos.

CAPÍTULO 1:
Creando la visión de la relación de pareja

«La mejor manera de planear el futuro es crearlo»
– Peter Drucker

Objetivos

- Llegar a una Visión para el matrimonio, tanto individualmente como en pareja
- Aprender nuevas maneras de escuchar al compañero
- Desarrollar técnicas de negociación que les ayudarán a navegar los conflictos en su relación

La base fundamental del matrimonio es la elección – el encomendar a otro la vida entera hasta que la vida los separe es un acto de libre albedrío. No es una promesa menor; llegará a definir como nada más quién eres por el resto de tu vida, en cada lucha, esfuerzo, o logro. Dado un compromiso tan potente como es el matrimonio, con tanto poder de cambiar la vida, es sorprendente que mucha gente inteligente supone que de alguna manera algo tan importante funciona solo, mágicamente.

Con frecuencia las parejas van «viendo sobre la marcha» mientras atraviesan las fases, asumidas en común, de cualquier relación íntima de largo plazo, que empieza por el romance, y sigue entonces con el compromiso, que es el preludio a la previsible fase del conflicto. Y entonces, si tienen la suerte de sobrevivir la agitación de la fase del conflicto, pueden lograr la intimidad verdadera y auténtica… en que lo saben todo de su pareja, ¡y aún así la aman!

Este es un problema frecuente en las parejas que han estado casadas por un período moderado (unos 3-10 años). Aunque se han conocido por un buen tiempo, han tomado su relación más o menos paso a paso, y no han creado una visión compartida, de largo plazo, para su futuro en pareja. Si no hay una visión compartida de la relación, un propósito común que los una, cada uno terminará, por defecto, persiguiendo sus propios intereses individuales. Si esto continúa lo suficiente, llegará un momento en el que los caminos individuales se han separado tanto que ya no saben quiénes son – o peor, recelan el uno del otro porque cada uno se ha convertido en un obstáculo en el camino individual del otro. Esto crea las proverbiales tormentas en vasos de agua, y hace montañas de lo que son sólo granos de arena.

Así, una de las mejores cosas que se pueden hacer por el matrimonio y por la futura vida en familia es buscar y encontrar una Visión compartida para él. A primera vista esto puede parecer contradictorio, o incluso tonto, pero piensa en los matrimonios y las relaciones que tú has visto fallar. ¿Cuáles son las principales causas? ¿Los quehaceres domésticos, los hijos, el dinero? ¿El sexo? ¿El tiempo? ¿El trabajo? Puede ser, pero, ¿específicamente? Ella gasta demasiado. Él no sabe ahorra. Él quiere sexo todo el tiempo. Ella nunca quiere estar conmigo. Él nunca hace nada en la casa. Él piensa que su trabajo es más importante que el mío. Ella trabaja todo el tiempo y nunca encuentra espacio para mí. Ella deja que los chicos la manejen. ¿Qué son todas estas expectativas erróneas? ¿Cómo se hubiera podido evitar todo esto, más que con una visión compartida para el futuro estado ideal del matrimonio?

Piensa la Visión de tu matrimonio como aquellas notas inspiracionales que la gente pone en el espejo del baño, o como uno de aquellos afiches que tal vez tienes en tu escritorio. No hay sólo una forma correcta de hacer esto. Puede ser larga, corta, detallada o general, puede tener listas de incisos, o estar toda expuesta en prosa. Lo importante es encontrar una manera de decir aquello que tú y tu compañero quieren decir acerca de su vida en común. ¿Cómo es aquel futuro estado ideal? ¿Es uno en el que se apoyan mutuamente? ¿En el que la relación es armoniosa y libre de conflicto? ¿Cómo se piensan ustedes en pareja? ¿Qué clase de pareja son? ¿Cómo se relacionarán, individualmente y como pareja, con los demás? ¿Qué es lo que quieren hacer juntos? ¿Cómo esperan llegar allá?

Capítulo 1

Articulando la Visión de tu matrimonio

De acuerdo a dónde trabajas, es posible que en tu oficina, o en la recepción o en la página web, haya una Visión desplegada claramente. Da una descripción del futuro estado ideal de la organización. Con frecuencia expresa en términos potentes y poéticos los valores que les importan a los dueños o accionistas de la compañía, y las expectativas básicas que comparten los gerentes, los empleados y los clientes.

Si has participado alguna vez en la redacción de una Visión, ya sea en tu trabajo o en otra organización, sabrás que uno de las dificultades principales es que la Visión es producida en su totalidad por comité. Esa es una muy mala manera de entender la igualdad. Si algo vas a aprender de tu matrimonio, que sea que mientras ambas partes seguramente tendrán que ceder algunas esperanzas y sueños, preferencias y deseos, también significa que los tienen que compartir.

En la práctica, lo que esto significa es que para escribir la Visión se debe empezar como un proyecto personal individual. Se puede hacer en la iglesia, o en casa, pero en cualquier caso, empiecen en lugares diferentes.

Tal vez un buen momento sería algún tiempo en que están acostumbrados a estar solos. Quizá podrías trabajar en tu Visión cuando tu pareja está en el gimnasio, y ella podría trabajar en el suyo cuando estás haciendo diligencias. Lo importante es que se den espacio y tiempo reales, de manera que no se sientan presionados de ninguna manera por su pareja. Este intento inicial es para tu pareja tanto como es para ti. Y no te preocupes, ella también tendrá su momento. El matrimonio es una entrega total de uno mismo al otro, así que lo mejor que se puede hacer por la pareja es ser uno mismo.

Asi que siéntate en algún lado, solo, tal vez con alguna foto de los dos, y ora. Pídele a Dios que te ayude a entender mejor lo que Él pide de ustedes dos, como individuos y como pareja. Después piensa en sus mejores momentos. Puede ser los viajes de fin de semana, o alguna fecha particularmente memorable. Puede ser el día de la propuesta, o la noche de la boda. O puede ser el apoyo que fue ella para ti cuando tu padre murió, o la manera en que te ayudó a recuperarte de aquel accidente. El asunto es que tengas presente lo que ustedes son como pareja en los mejores momentos juntos.

Ahora empieza a escribir. No te preocupes por la gramática o la puntuación, o por si va a sonar bien. Simplemente piensa adjetivos que describan no sólo cómo te sentiste cuando estabas con tu pareja en esos momentos claves, sino cómo eran los dos juntos. Busca un par de imágenes que simbolicen o de otra manera resuenen contigo acerca de tu relación. Empieza a combinar estas ideas y observa qué se arma; puede que te sorprendas.

Eventualmente deberás hacer de tus ideas un par de oraciones en prosa, o por lo menos una lista de incisos con las ideas o las características. Puede ser que necesites varios intentos. Es común que la gente se encuentre con emociones bastante profundas al intentar este ejercicio por primera vez, especialmente si se trata de puntos significativos de la relación en los que tú y tu pareja no están en sintonía. Date tiempo, a ti y a tu pareja. Establezcan un plazo de dos o tres semanas para terminar esta etapa inicial.

Compaginación de visiones

Ahora viene el siguiente desafío. Reserven un buen período de tiempo, por lo menos una hora o dos, para revisar juntos las visiones individuales. Recuerda que así como el ejercicio puede haber agitado algunas emociones en ti, probablemente también las agitó en tu pareja. Sé amable y procede con cuidado.

Una técnica que usan comúnmente los sacerdotes y los diáconos en preparaciones matrimoniales es que durante el curso de una entrevista hacen dos preguntas distintas: ¿ustedes son sexualmente activos, y si lo son, con qué frecuencia? Un tiempo después, en la misma entrevista, se hace la pregunta: ¿ustedes oran juntos, y si lo hacen, con qué frecuencia? Tal vez no sea sorprendente que para la mayoría de la gente sea más fácil pasar la noche con alguien que orar con él o ella. Cuando se les preguntan las razones por las que no oran juntos, la razón número uno que las parejas dan es que la oración es algo demasiado íntimo. Dada nuestra naturaleza pecaminosa, no siempre hay intimidad en el sexo. Pero cuando nos abrimos y compartimos con alguien más las profundidades de nuestra alma, para ser recibidos igual de abiertamente por otro, creamos un vínculo inmensamente poderoso.

Este ejercicio requerirá gran intimidad, y puede que lo encuentren difícil de llevar a cabo. Hay que tener cuidado al compartir. Exhibir a otro las propias esperanzas y sueños, miedos y faltas, visiones del futuro y preocupaciones por el pasado: son cosas frágiles y se corre el riesgo de ser rechazado, ninguneado o ignorado. NO IGNORES NADA DE LO QUE TU PAREJA DICE. Puede que al final terminen en desacuerdo, pero tómatelo en serio. Si tu pareja ha decidido compartirlo contigo es porque es importante para ellos, y eso, en sí mismo, debe hacerlo importante para ti.

No hay una sola manera correcta de proceder, pero hay varias maneras incorrectas de continuar la conversación. Lo mejor probablemente es que uno de los dos comparta su Visión y el otro simplemente escuche. Después de un tiempo, el que escucha puede ofrecer algún comentario de apoyo, y subrayar las partes en las que a su parecer están más conectados. Entonces el otro comparte su visión, y se repite el proceso. Sólo cuando ambos hayan compartido su proyecto y recibido comentarios positivos se puede proseguir.

De dos a uno

La meta del ejercicio es ayudarnos a pasar de una visión solitaria del futuro a una compartida, y a desarrollar una Visión común que es verdaderamente «de nosotros», no sólo una «tuya» o «mía» impuesta sobre el otro.

A casi todo el mundo le resulta difícil decir lo que quiere. Incluso en relaciones relativamente sanas, muchos tendemos a someternos a la voluntad del otro para evitar conflictos y discusiones. Ese es un mal hábito en la relación, y en últimas puede resultar hiriendo o incluso destruyendo un matrimonio. Si uno de los dos toma constantemente todas las decisiones y el otro constantemente tiene que seguir la voluntad del otro, el resentimiento será inevitable e impedirá la verdadera igualdad en la relación.

Muchos de los ejercicios de este libro precipitan una cierta cantidad de intimidad emocional, y un potencial de conflicto. Eso es así porque llegar a compartir una visión común es una de las partes más difíciles del matrimonio. La idea no es pelear por pelear, sino darse un espacio seguro para negociar los conflictos que ya existen en esta íntima relación. Al hacerlo, llegarán a una profundidad más fuerte en el compromiso y a un sentido no sólo de sí mismo sino también a una identidad común de la pareja.

Es ahí donde los casados pueden aprender algo de los religiosos. La Regla de San Agustín comienza: «ante todo, que habitéis unánimes en la casa y tengáis una sola alma y un solo corazón en camino hacia Dios. Este es el motivo por el que, deseosos de unidad, os habéis congregado». De nuevo, la visión de cualquier matrimonio cristiano estará siempre fundamentada en la visión general de cualquier cristiano; a saber, la vocación universal a la santidad y a la evangelización del mundo. Es decir, todo valor particular y toda meta debe ser entendida a la luz del compromiso general que los ha basado a ambos en Cristo.

Negociación

Uno de los componentes claves en la solución de un conflicto de visiones diferentes es la negociación. Es una habilidad social crucial en general, y absolutamente esencial para llegar a una visión compartida. No te engañes: tú y tu pareja ya tienen mucho en común y naturalmente ya comparten valores e ideales comunes. Eso es parte de lo que los atrae mutuamente. Pero las diferencias que existen entre los dos son otra parte importante de lo que hace mejores a las parejas. El matrimonio no es para confirmar lo que ya sabes de ti mismo; es para convertirse en lo que nunca podrías llegar a ser sin tu pareja. Ganamos en paciencia y caridad al aprender a tolerar las idiosincrasias y dificultades, y nuestra pareja nos ayuda a expandir nuestros horizontes y a ver el mundo diferente a como lo veíamos antes. Lo que esto significa es que si parece que tú y tu pareja ya están de acuerdo en prácticamente todo, profundicen un poco: vale la pena explorar qué hay debajo.

El primer secreto de la buena negociación es reconocer dónde están los conflictos exactamente. Una vez que empiecen a leer las dos Visiones línea por línea, no busquen tanto un acuerdo al pie de la letra, sino temas e ideas comunes. Puede que él hable de vivir con integridad y ella de honestidad. Esos no son conceptos radicalmente diferentes, pero la diferencia en las palabras puede volver locos a algunos. Puede que ella hable de responsabilidad financiera y él de seguridad personal. A medida que avanzan, identifiquen estos puntos comunes e intenten desarrollar aquellas partes primero en su Visión conjunta. Sólo entonces vuelvan a los asuntos espinosos, después de haber demostrado que pueden manejar un conflicto juntos.

Una vez que hayan determinado los puntos de conflicto, lo más importante es no salirse de la conversación. Es incómodo, uno puede decir cosas que en verdad no quería decir, o que sí quería decir pero no se atrevía, y sí, se pueden terminar hiriendo. Algo de dolor es inevitable en toda relación que va más allá de la superficie, pero al no salirnos de la conversación aseguramos que el dolor no sea en vano. Un sabio sacerdote dijo alguna vez que «si te bajas de la cruz, nunca experimentarás el goce de la resurrección». Sobrellevar este sufrimiento juntos los hará más cercanos, y cuando haya pasado será claro que la tarea no era tan terrible como parecía a veces en el calor del momento.

Lo otro que hay que recordar – y esto hay que enfatizarlo – es que la meta no es ganar. Esa es tal vez la única manera de fallar en este ejercicio. El propósito de llegar a una visión común del futuro estado ideal del matrimonio es llegar a entender mejor los valores que los dos comparten y los tipos de metas a los que esos valores los mueven. Lo que esto significa es que si para ti algo es esencial en la relación, pero tu pareja no lo ve así, tú debes encontrar la manera de articular por qué es tan importante para ti, y hablar con tu pareja de por qué para ella no lo es. Es muy probable que ambos lleguen a entender ciertos valores que no comparten, o tal vez valores que sí comparten pero que no eran tan claros antes de la explicación de tu pareja. Cuando esto pasa, asegúrense de agradecer el uno al otro, por haberse ayudado a entender algo nuevo.

Finalmente, es inevitable que haya cosas en las que simplemente no están de acuerdo. Todo bien. No todo tiene que estar en la Visión, y no todo en el matrimonio tiene que ser un acuerdo. Lo importante es que sean claros el uno con el otro sobre lo que piensan. Esto requiere gran confianza, porque en esencia estás diciendo «te amo más que a nada pero en esto sí que estoy en desacuerdo» , y aún así esperas que el otro te siga amando. Si se hace bien, esto reforzará dramáticamente el matrimonio, y con el tiempo hará crecer a su amor. Simplemente sean claros sobre los desacuerdos, y sean claros en que acuerdan vivir en ellos y respetarlos.

Escribiendo nuestra visión

Ya habiendo identificado los elementos claves de su visión común, es tiempo de empezar a escribir. A veces ayuda hacerlo en varias sesiones, especialmente si el ejercicio de escribir los valores, sentimientos y componentes esenciales fue emocionalmente difícil. Otras veces, si la energía va fluyendo bien, vale la pena tomarse un descanso y volver a la tarea después de unos días. En cualquier caso, dénse tiempo con el ejercicio, y permitan que los descubrimientos se filtren, antes de intentar usarlos directamente.

A veces ayuda empezar con una de las imágenes que se les ocurrió, a uno o a los dos. Otras veces una idea central da el impulso inicial. De cualquier manera, es esencial articular una visión común clara en una oración o dos, que arraigará el matrimonio dentro de la vocación común de crecer en la santidad y convertirse en mejores personas. El resto de la visión puede ser una lista de ítems o estar en prosa. Si así lo desean, puede incluso estar escrita en verso. Lo importante es que ahora describan en palabras el estado futuro ideal del matrimonio al que ambos se pueden comprometer y con el que ambos serán felices.

Escúchense atentamente el uno al otro, y aprovechen las habilidades de cada uno. Si ella escribe mejor, que sea ella la que escribe, pero mantente dedicado todo el tiempo, para mostrar tu constante interés. Si es él el que mejor maneja las palabras, dale el espacio para hacer lo suyo, y halágale las partes que más te gustan. No se cuiden de expresar preocupaciones, reservas, o desacuerdos. Sigan en la tarea hasta el final, y cuando ambos estén satisfechos, impriman y firmen el documento. Pónganlo en algún lugar prominente, que ambos puedan ver. Algunas parejas encuentran útil recitar la Visión, ya sea solos o en pareja. Otras vuelven a ella periódicamente a medir su progreso. Aún otras encuentran que, después de un poco más de tiempo, la Visión misma necesita revisiones. Lo importante es tenerla y seguir articulando con el otro la visión común que tienen de su vida en pareja, y la manera de alcanzarla. Si lo siguen haciendo no habrá gracia que no tengan en su matrimonio, y la visión general que les ha sido dada a ambos – de ayudarse el uno al otro a ser las personas que están llamadas a ser – es algo de lo que pueden estar seguros.

Las páginas que siguen brindan algunos recursos diseñados a ayudarles a escribir su Visión. Úsenlos en la medida en que los encuentren útiles, pero si algún otro formato les atrae más, también eso estará bien. Lo importante es que el resultado sea significativamente suyo – de ambos, juntos.

Ejercicios de precalentamiento

Ejercicio #1

Antes de empezar a escribir la Visión del matrimonio, es bueno hacer un poco de precalentamiento. Es bueno identificar algunos valores básicos para incorporarlos a la Visión. Una manera de encontrarlos es buscar las cosas tangibles de tu vida que representan aquello que más valoras: tal vez una joya que tienes puesta, un emblema en tu llavero, una foto en la pantalla de tu computadora or un símbolo querido en la pared. Generalmente estas cosas nos recuerdan cosas de gran valor: un ícono religioso, un abuelo amado, un logro vital significativo, etc. La Visión de tu relación puede incorporar estos valores básicos, y es posible que te sea más fácil empezar a escribir una vez que hayas dado con esas cosas que valoras.

Ejercicio #2

Considera hacer una búsqueda en Internet de ejemplos de Visión. Visita páginas de organizaciones que conoces y en las que confías; considera la página de tu jefe o tu iglesia, un hospital, tu banda favorita, tu alma mater o incluso alguna rama del gobierno local o estatal. Hay muchos ejemplos fáciles de encontrar, y lo que otros han escrito como Visión puede ayudar a que desarrolles una mejor para tu relación.

Ejemplos de Visión – Examina los siguientes dos ejemplos de Visión, aparentemente diferentes, de la misma pareja. Cada uno de los dos ha creado el suyo por separado:

El de ella:
En nuestra vida ideal, expresaremos nuestra individualidad a través de nuestra inteligencia y creatividad. Somos compañeros iguales en nuestra relación, pero valoramos el enfoque vital diferente de cada uno. Somos cercanos a Dios y activos en nuestra Iglesia. Hacemos todo esto con la intención de ser leales con el otro y con nosotros mismos, y para enriquecer nuestras vidas y hacer un mundo mejor. Viajaremos, expandiremos nuestros horizontes, profundizaremos nuestras relaciones familiares y viviremos la vida al máximo, libres de cargas materiales.

El de él:
Mi visión del estado ideal futuro de nuestra relación se basa en la integridad, y está lleno del significado rico y profundo que viene de la exploración, en crecimiento continuo, de quiénes somos y cómo demostramos nuestro amor. Cada uno de nosotros se dedicará a ayudar al otro a alcanzar todo su potencial. Le daremos a nuestros hijos raíces y alas, y siempre reiremos y aprenderemos con ellos. Llegaremos a una serenidad financiera y mantendremos un balance en todas las áreas de nuestra vida juntos.

Aquí vemos que la pareja tiene perspectivas diferentes, pero una vez que compartan e incorporen sus visiones, puede que sean más cercanas de lo que parece. Busquen las cosas comunes en los conceptos y los valores, sin tener en cuenta las palabras exactas. ¿Están usando términos que suenan superficialmente distintos pero en realidad dicen básicamente lo mismo? Puede que tú estés hablando de la «integridad» mientras su pareja enfatiza la «verdad». ¿Puedes ver cómo son similares y cómo se pueden integrar, cuando se los examina uno junto a otro? Cuando identificas conceptos y valores básicos en cada visión, puede ser que encuentres que estén más cerca de lo que parece el uno del otro.

Por otro lado, no se preocupen si las visiones de cada uno suenan completamente distintas. No hay sólo una manera correcta de hacer esto, y no hay resultado predeterminado. La clave es ser seguro, honesto, creativo, y enfocarse en el futuro haciendo énfasis en el estado ideal que desean para la relación.

Combinando las Visiónes

Esta parte de la actividad es similar a encender la velita de la unidad en la ceremonia matrimonial (este no es en verdad un ritual católico, pero muchos sacerdotes lo permiten, y puede resultarnos útil en nuestros propósitos presentes). Empieza con cada compañero encendiendo una vela individual, es decir tomando dos llamas separadas y haciéndolas una.

Es un símbolo de la unión de sus visiones individuales en una Visión común para la relación.

Los niños pueden determinar que tienen un horario diferente en la casa de mamá que a papá, pero es mucho más difícil averiguar por qué a veces la hora de acostarse a papá es el mismo tiempo que a la mamá y veces no lo es (por ejemplo, como cuando la madrastra está cerca).
Para parejas, la clave en todos los esfuerzos en el componer de culturas distintas de la familia- ya sea con niños o sin ellos- es, articular continuamente el plan común que los dos de ustedes comparten con la familia de manera que cumpla con su visión como cónyuges cristianos. Si esa visión siga la primordial y que sea la preferente al futuro, límites, reglas de la casa, y las formas adecuadas de relacionarse finalmente caer en su lugar. Sólo por hacer una visión y un plan de los dos de ustedes juntos, hará toda la diferencia.
La gracia y la Naturaleza: O, ¿Cómo no perderse?
Un principio absolutamente fundamental de la teología católica proviene de Santo Tomás de Aquino, "La gracia no destruye la naturaleza sino que la perfecciona y cumple con ella." Esto es importante porque en algunas teologías protestantes sobre la gracia; la gracia funciona precisamente al contrario. En ellas, la gracia abruma nuestra naturaleza hasta que llegue a ser algo diferente que era antes. El punto aquí es que la enseñanza tiene un impacto importante en tanto

nuestra teología del matrimonio y de nuestra experiencia vivida de la misma. Si la gracia destruye la naturaleza y la sustituye por otra cosa, entonces el propósito del matrimonio- que es la relación de gracia en el que uno se introduce en una relación con Cristo- entonces el deseo de uno es perder uno mismo completamente. Por el contrario, si la gracia perfecciona la naturaleza, que ya es buena, entonces el matrimonio le ayudará a ser más a sí mismo, cumpliendo con su potencial con mayor perfección; y llegando a ser la persona que siempre estaba destinado a ser – que es el yo mismo- pero perfeccionado en Cristo.

¿Cómo se lo ve esto en términos concretos? Las vacaciones son un buen ejemplo. Las principales fiestas son típicamente una fuente importante de tensión en la mejor de las situaciones familiares, y mucho menos en los complejos mezclados. Si una pareja viene de una gran familia, que nunca deja pasar la oportunidad de reunirse como familia y la otra parte proviene de una tradición familiar más pequeña, más íntimo a continuación, simplemente afirmar la propia tradición puede ser intimidante al uno y el aislamiento para el otro. El desarrollo de sus propias tradiciones de la familia, sin dejar de respetar aquello de lo que ambos vienen, y la integración de las tradiciones de la familia existentes no es sólo una forma particular, soluciones intermedias, puede ayudarle a mantener un sentido más fuerte de la identidad personal. Una forma muy práctica de realizar esto es establecer un nuevo patrón desde el principio, sobre todo el primer año que está casado. A veces esto significa pasar todo el día de fiesta por su cuenta, o tal vez significa voltear alrededor de los tiempos que se suele pasar con cualquiera de los lados, pero haciendo algo significativo y radical desde el principio, es probablemente la mejor manera de establecer su independencia como una pareja y para dense la libertad para comenzar nuevas tradiciones de su propio.

Otra manera importante es, con frecuencia, reafirmar en su pareja esas cualidades de él o, ella que al principio te atrajo en el primer lugar. Si su carácter independiente y la creatividad es parte de lo que le atrajo a ella al principio; entonces, no deje perder su habilidad especial para la fabricación de joyas o el trabajo de diseño, incluso si eso significa renunciar a un poco de espacio en la casa para ella para guardar sus materiales. Del mismo modo, si su introspección y reflexiva de la personalidad te ayuda a inspirar; luego, le dará el tiempo y el espacio para estudiar, y afirmar esa en él de modo que él tiende a esa parte de sí mismo. El punto del matrimonio es que nos convertimos en guardianes, cuidadores del otro sus dones y talentos y no simplemente de los nuestros.

Esto es importante porque la mayoría de nosotros tenemos la tendencia es dar hasta que tengamos no más, resultando en la pérdida de lo mejor de lo que teníamos que empezar.

Resumen

- ¿Cómo es su familia diferente de sus padres y abuelos? ¿Cómo es esto diferente de la cultura de los padres y abuelos de su cónyuge?
- ¿Por qué la fusión de las culturas de la familia y la adquisición de nuevos miembros afectan a la cultura de la familia que ha establecido? ¿Cómo se puede tener la intención de preservar los valores que más apreciamos?
- ¿Cuáles son los tres cambios significativos que usted o su cónyuge tiene que hacer para construir efectivamente la cultura de la familia que, como pareja, ha decidido dar su fuerza?
- ¿En qué consiste la aleación de su propia familia con la que su cónyuge? ¿Qué temores tiene usted? ¿Qué espera para el crecimiento y el cambio?

CAPÍTULO 2:
¿En qué creemos? La relación como marca

«Aquí estamos mi amigo y yo, aquí estamos no dos sino tres: él, yo, y Él» – San Elredo de Rievaulx

San Elredo fue un monje que vivió en Inglaterra en el siglo XII. Escribió un pequeño libro llamado «Amistad Espiritual», que es de lo primero que se ha escrito, y hasta el día de hoy de lo mejor, explícitamente sobre la amistad en la tradición cristiana. San Elredo ve la amistad como una especie de sacramento natural, por el cual en el otro, que está hecho a imagen y semejanza de Dios, nosotros, que también estamos hechos a su imagen y semejanza, llegamos a encontrar a Dios y a vernos a nosotros mismos como en verdad somos. La amistad cristiana, dice San Elredo, es algo así y algo más. La amistad cristiana no sólo revela lo divino al nivel natural, sino que al mismo tiempo es avivada por la gracia. La amistad cristiana misma se convierte en una especie de mini Trinidad: ella y yo y Él. Elredo enseñaba esto, por lo menos en parte, porque algunas versiones de la tradición monástica veían a la amistad con mucha sospecha. Entonces él aclaró lo siguiente: Dios está presente incluso en la amistad humana pura, esa amistad entre cristianos no sólo es permisible sino que hay que cultivarla como una de las mejores ayudas en la vida espiritual.

Objetivos

- Identificar tres signos o símbolos que son importantes para cada uno de ustedes, tal vez fuera del contexto inmediato de su relación.
- Identificar por lo menos tres símbolos que para cada uno representan la visión para la pareja.
- Identificar por lo menos tres frases, dichos o citas que digan algo importante sobre su matrimonio.

Hoy vivimos en una época en que, gracias a ciertos ideales románticos, ya supone la amistad como parte integral del matrimonio. Esto no ha sido así por grandes períodos de la historia humana. Cicerón escribió uno de los primeros grandes libros sobre la amistad, y tanto Aristóteles como Platón hablaron también de ella. Ninguno de los tres piensan que la amistad es significativamente posible en el matrimonio. ¿Por qué? Porque la amistad tiene que ser entre personas que, por lo menos en cierto nivel, son iguales. Ellos simplemente no creían que la mujer fuera igual al hombre. Desde muy temprano, sin embargo, los cristianas empezaron a cuestionar esa posición. San Pablo ya hace referencia a ello en el quinto capítulo de la Carta a los Efesios. Varios padres de la iglesia se refieren a ello. San Agustín escribió sobre eso. Pero tal vez la síntesis más perfecta es la que logró Santo Tomás de Aquino:

> La amistad, cuanto mayor es, más firme y duradera. Suma [*maxima amicitia*] parece existir entre el marido y la mujer, ya que no solamente se unen en el acto de la cópula carnal, que entre las mismas bestias causa placentera sociedad, sino aun en el consorcio de toda la vida doméstica, cuya señal es que el hombre por la mujer deja a su padre y a su madre, como es señalado en Génesis 2:24. (*SCG* 3:123)

Como ves, no sólo es posible la amistad en el matrimonio, sino que el matrimonio mismo está llamado a ser la amistad suma, la amicitia máxima. ¿Cómo? Por lo que decía San Elredo más arriba. Porque en el matrimonio dos individuos se convierten en algo nuevo, algo uno, algo otro. Los dos se convierten en una carne, no sólo o siquiera mayormente en la unión sexual, aunque ésta es tal vez el mayor signo físico de lo que está pasando interiormente. No: el hombre deja a su padre y a su madre, y la mujer a los suyos, para aferrarse el uno al otro y pasar de los «Yo» individuales al «Nosotros» colectivo.

Un símbolo sacramental

Nuestro mundo está dominado por signos y símbolos para todo. Las señales nos dicen dónde estamos, a dónde vamos, y qué habrá allá una vez que lleguemos. Los símbolos nos dicen varias de esas mismas cosas, pero también piden algo de más de nosotros. Empiezan a comunicar algo de la realidad que representan. Nos revuelven nuestros corazones y generan una respuesta emocional y a veces incluso espiritual. Los sacramentos son algo diferente también. Son tanto señales como símbolos, pero además son algo más. El bautismo claramente lava el pecado y la culpa. El agua bendita es un símbolo que representa eso mismo, pero el bautismo lo hace realmente; cuando alguien echa agua sobre la cabeza de alguien que no ha sido bautizado y le dice «Te bautizo en nombre del Padre, del Hijo y del Espíritu Santo», esa persona es realmente bautizada, perdonada y hecha nueva.

La Iglesia insiste en que el matrimonio es un sacramento, pero ¿un sacramento de qué? Los otros sacramentos son bastantes obvios: el Bautismo es el perdón de los pecados y la entrada en la Iglesia, la Confirmación es el regalo del Espíritu Santo, la Eucaristía es la presencia continua del sacrificio de Cristo, la Reconciliación es el perdón de nuestros pecados después del Bautismo, la Extremaunción es la curación y la fuerza, y las Órdenes Sacerdotales son la obra de la Iglesia. Pero, ¿de qué es signo el matrimonio, y qué comunica en realidad?

El Concilio de Trento dice:

> El sacramento del Matrimonio significa la unión de Cristo y su Iglesia. Les da a los cónyuges la gracia de amarse el uno al otro con el amor con que Cristo ha amado a su Iglesia; la gracia del sacramento permite así el amor humano de los cónyuges, refuerza su unidad indisoluble, y los santifica en su camino a la vida eterna (Concilio de Trento: *DS* 1799).

En un nivel puramente natural los cónyuges están cumpliendo su básico deber de vida por el sólo hecho de casarse, vivir como personas casadas, y potencialmente tener hijos. Esta es una obediencia a la primera orden de la Ley: Creced y multiplicaos (Génesis 1:28). En el nivel sobrenatural, el matrimonio sacramental entre dos cristianas unidos en la fe y en el bautismo tiene también la gracia de representar una realidad más profunda aún: el amor de Cristo por Su Iglesia, es decir, el amor verdadero y perfecto.

Todos los sacramentos tienen signos y símbolos que comunican y nos disponen a su recepción. Como dijimos antes, el Agua Bendita nos recuerda del bautismo incluso cuando no se está bautizando a nadie. La estola púrpura o el confesionario nos disponen a considerar nuestros pecados. Una sonata representa la Ordenación. Un frasco de aceite es un signo de la Extremaunción. ¿Y qué hay del matrimonio? ¿Cuál es el signo más visible que representa al matrimonio?

Los anillos. El anillo o los anillos (en algunas partes del mundo sólo la novia recibe el anillo; esto viene de la época en que el anillo de un hombre era un símbolo de autoridad, como el de un obispo). Los anillos son bendecidos en la ceremonia de bodas por el sacerdote o el diácono, y entonces la pareja los intercambia con la fórmula «Toma este anillo como simbolo de mi amor y mi fidelidad, en el nombre del Padre, del Hijo, y del Espíritu Santo». Para la mayor parte de la gente, el anillo de bodas es un símbolo importante de su matrimonio en general, pero para los cristianos los anillos son «sacramentales» con tanta seguridad como lo son el agua bendita, el rosario y las imágenes de los santos.

Piensen en eso al considerar los símbolos de su propio matrimonio. Los símbolos no tienen que ser complejos para ser poderosos; de hecho, algunos de los símbolos más poderosos son también de los más simples. Recuerda lo que Jesús usaba: agua, aceite, pan, vino, el toque de una mano. Esos signos tan sencillos comunican real gracia, hacen a Dios tangible y nos dan un lugar en la vida de Dios. Desde luego, estas cosas en sí mismas no hacen presente a Dios. Es por el poder del Espíritu Santo, que fue dado a la Iglesia, que estos signos naturales se transforman en tanto más. Lo mismo ocurre con ustedes dos. Ustedes son los símbolos naturales del amor, pero por la gracia de Dios y por regalo del Espíritu Santo están llamados a representar, comunicar y hacer presente algo mayor. Como símbolos del amor de Dios harán manifiesto el amor de Cristo por su Iglesia, pero como recipientes vivientes del sacramento continuo del matrimonio harán ese amor presente durante toda su vida de casados, muy a la manera del sacerdote que presenta a Cristo a través de los efectos continuos del sacramento de la Ordenación Sacerdotal. Es por esto que la Iglesia se toma el matrimonio tan en serio: ustedes también tienen un papel esencial y necesario para la Iglesia.

Capítulo 2

La relación como marca

Un complemento importante para la Visión de su matrimonio es crear un símbolo común para su vida en pareja, ver el matrimonio como una «marca». En el Nuevo Testamento, la palabra griega que quiere decir «marca» se usa para la cruz, de manera que en el Libro de las Revelaciones, aquellos que han sido salvados son marcados en la frente con un signo que indica a Quién pertenecen.

Hoy en día hacemos lo mismo. Nuestra ropa tiene marcas: la pipa de Nike, el jinete de Ralph Lauren, o la mascota de nuestro equipo o escuela. A veces ni siquiera jugamos jamás para ese equipo, o estudiamos jamás en esa escuela, pero somos hinchas y nos queremos asociar con ellos. Y como criaturas de hábito y clientes leales que somos, nos ponemos lo mismo casi todo el tiempo. Hay gente que sólo usa Dockers, muchachas que sólo tienen botas Uggs, etc. El logotipo «marca» no sólo la ropa, sino al que la usa. Por eso es muy importante escoger cuidadosamente lo que nos ponemos y las marcas con las que nos asociamos.

La marca es importante porque puede comunicar algo que no es obvio acerca de una organización. Por ejemplo, todo el mundo reconoce las camisetas polo con el cocodrilo bordado: Lacoste. Pero lo que pocos saben es que el cocodrilo es una referencia a René Lacoste, el fundador de la compañía. Lacoste era tan tenaz en la canchas como tenista, que le llamaban «el cocodrilo». La imagen no sólo se volvió un sinónimo de la camiseta cómoda, sino que viene a representar la visión y el modelo empresarial igualmente tenaz de Lacoste.

Es importante que ustedes también hagan de su matrimonio una «marca» , con un simbolismo que para ustedes represente lo que son y la visión que tienen de su vida en común. No se trata de decir «miren qué buen matrimonio tenemos». Más bien se trata de decir «esto es lo que creemos como pareja. Estos son nuestros ideales y nuestras esperanzas y nuestros sueños puestos en concreto. ¿Qué emociones genera?» No hay nada que ayude más a las parejas casadas que el testimonio y el apoyo de otras parejas casadas, sean familiares, amigos, o conocidos del trabajo, de la iglesia, etc. Está claro que la «marca» que imaginen no va a aparecer en público o regularmente, pero, como ocurría con la Visión, es un recurso valioso al que pueden volver como pareja, a revisar cómo están desarrollando los ideales acordados. Al final de este capítulo tenemos un ejercicio modelo que ayuda como guía en el proceso de imaginar su marca, pero primero es bueno considerar cómo funcionan los símbolos.

A veces la Visión es buena para ponerle palabras a los ideales abstractos, pero le falta un cierto elemento concreto. Si uno de ustedes tiene un pensamiento más abstracto y el otro se orienta más hacia las imágenes, este ejercicio puede resultar especialmente valioso. Pueden usarlo para imaginar cualquier clase de símbolo que pueda soportar el peso de los ideales que lo pongan, pero hay una razón por la que aquí lo hemos organizado de esta manera en particular.

Escudo de armas

Los escudos de armas han sido símbolos de familias o individuos por más de mil años. Originalmente se ponían sobre los escudos en las batallas, igual que los romanos antiguos ponían un logo en los escudos para identificar la unidad a la que pertenecían. Con el tiempo, sin embargo, el uso puramente militar de los escudos de armas dio paso al uso como sello o marca personal. En la Iglesia, cada obispo, cada cardenal y cada papa puede crear su propio escudo de armas. Además escogen un lema para ese mismo escudo, que resume su filosofía personal o su sentido de propósito. Algo así es que queremos que ustedes escojan para su matrimonio.

Comiencen con una búsqueda en Internet. Hay muchas páginas web que se dedican a los escudos de armas, a su historia, a su uso, etc., pero lo que más les interesa a ustedes es lo que los símbolos significan. Ahí hay ejemplos, puede ser que incluso esté el de su apellido. Búsquenlo. Busquen el escudo de su escuela o su universidad, es casi seguro que existe. Miren, familiarícense, aprendan más o menos cómo es un escudo, qué símbolos les resultan atractivos, y tal vez empiecen a acumular ideas para un lema.

Por unos días estén alerta: cuando lean el diario, hojeen revistas, vean televisión, o naveguen en Internet; busquen signos, símbolos, logos, que resuenen con lo que han escrito en su Visión.

Si todavía tienen aquella primera hoja en la que escribieron ideas para la Visión, vuelvan a ella y revisen qué palabras sueltas fueron las que usaron para llegar a la descripción más elaborada. Después pónganse un plazo, digamos una semana después de haber empezado el proyecto, y entonces pónganlo todo junto. Muéstrense el uno al otro los símbolos que escogieron, y hablen de por qué son importantes para cada uno. Recuerden, como cuando escribieron la Visión, que estas son realidades profundamente personales de su pareja; si no entienden algo, señálenlo con respeto.

Si uno de los dos tiene vena artística, podrá simplemente dibujar estas ideas. Si no, pueden hacer un «copiar y pegar», tanto figurativamente con imágenes de Internet, o literalmente con recortes de diarios o revistas. Para los que tienen un enfoque más tecnológico, tenemos un patrón gratis en nuestra página web. Empiecen a llenarlo. Jueguen con él por un rato. Miren qué queda bien y qué no. Discutan los símbolos y aclárense el uno al otro las razones por las que algunos son importantes para ustedes.

Una vez que hayan logrado la imagen, tómense un tiempo para observarla juntos. Hablen de por qué les gusta. Discutan las maneras en las que los ideales que aparecen en ella están presentes en su relación. Comprométanse a vivirlos mejor. Ahora empiecen a pensar en el lema. Debe ser corto, conciso y claro; pero sobre todo debe representarlos claramente a ustedes como pareja. Puede que uno de los dos sea bastante valiente y el otro no tanto: en ese caso, «coraje» no les vendría muy bien. Pero si ambos han tenido que superar alguna gran adversidad, especialmente si la tuvieron que superar juntos, entonces «coraje» queda bien, o tal vez «Nunca te rindas. Nunca te entregues» . No importa de dónde venga. Puede venir de una película, o de un pasaje de un libro. Podría simplemente ser una frase que ustedes dos usan mucho. Cuando encuentren algo con lo que ambos estén de acuerdo, escríbanlo.

Ahora pongan el escudo de armas en donde ambos puedan verlo: en el baño, la alcoba, el corredor, o la heladera. Mírenlo todos los días, y dejen que les recuerde lo que cada uno significa para el otro. Hablen de él de vez en cuando, y de cómo sus esfuerzos para vivir en él. Quizá pónganlo junto a su Visión, como un recordatorio de aquello a lo que se comprometieron y lo que significa.

Pero recuerden: con todo lo poderoso que este símbolo pueda llegar a ser para los dos, ustedes están llamados a ser un símbolo aún más poderoso para los demás. Ustedes son parte de un sacramento viviente, un signo que continúa y que comunica el amor de Cristo por Su Iglesia, no sólo entre ustedes sino para todos aquellos con los que se crucen.

Resumen

- ¿Qué signos y símbolos encontraron para identificar los valores que son importantes para ustedes?
- ¿Qué signos y símbolos resultaron importantes para ustedes en el contexto de su relación? ¿Qué aprendió cada uno del otro al reflexionar sobre esos símbolos?
- ¿Qué dichos, del uno o del otro, les causaron una impresión especial?

CAPÍTULO 3:
Ampliando el cuerpo

« Nadie es una isla, entera por sí misma,
Todos son un pedazo del continente, una parte del todo…»
– John Donne

Siempre que una pareja se casa dos vidas se hacen una. Un «mí» da paso rápidamente a un «nos» , un «yo» da paso a un «nosotros» . Pero las vidas que se unen no son simplemente las de ellos dos en sí mismos. Piensa en la cantidad de nuevas relaciones que has forjado con tus suegros, los familiares y otros amigos de tu pareja, cada uno de los cuales probablemente no hubieras conocido si no fuera por ella. Una de las decisiones más importantes que tomarás en el transcurso de tu matrimonio es cuándo, dónde y cómo forjarás estas nuevas relaciones, y cuándo aceptarás gente nueva en el seno del matrimonio. Este capítulo está dedicado a esa tarea de ampliar el cuerpo del matrimonio, de expandir las fronteras externas de tu familia a través de fusiones y adquisiciones con otros individuos y otras familias.

Objetivos

- Explorar los factores significativos por los que ser una familia hoy es diferente a lo que era ser una familia en épocas pasadas.
- Usar las categorías de «fusión» y «adquisición» para entender mejor las dinámicas de la ampliación responsable de una familia.
- Apreciar, utilizar, y cuando sea apropiado combinar respetuosamente la vida y cultura familiar con base en las diferentes historias familiares.
- Discutir las consecuencias de entrar por matrimonio en una familia diversa, y cómo establecer una identidad familiar nueva en vez de ceder la identidad propia a la de la nueva unidad familiar.

La iglesia doméstica

El poema de John Donne del epígrafe de este capítulo nos recuerda que nadie es completo por sí mismo, y, al mismo tiempo, que cada persona es una especie de microcosmos de la raza humana en su totalidad. La Iglesia es lo mismo, aún cuando no la pensamos así usualmente. Como enseña el Segundo Concilio Vaticano:

> Pues de esta unión conyugal procede la familia, en que nacen los nuevos ciudadanos de la sociedad humana, que por la gracia del Espíritu Santo quedan constituidos por el bautismo en hijos de Dios para perpetuar el Pueblo de Dios en el correr de los tiempos. En esta como Iglesia doméstica, los padres han de ser para con sus hijos los primeros predicadores de la fe, tanto con su palabra como con su ejemplo, y han de fomentar la vocación propia de cada uno, y con especial cuidado la vocación sagrada. (*Lumen Gentium*, 11)

¿Significa esto que tenemos que sentarnos a leer la Biblia todo el tiempo, rezar siete veces al día y vestirnos con atuendos curiosos? No, la Iglesia no te está pidiendo que seas nada más de lo que eres: esposo, padre, esposa, madre, etc.;más bien, la Iglesia está tratando de mostrarte el potencial que hay en ser esposo y padre, esposa y madre. Lo que sí significa es que la oración debe ser un componente esencial de la vida diaria en pareja, probablemente en la mañana y en la noche, y por lo menos antes de las comidas, y con esto te ayudaremos en un capítulo posterior. También significa que alguna parte de la vivienda debe estar decorado como una especie de espacio sagrado. Cuando vengan los niños, esto puede ser una buena forma de marcar el paso de las estaciones. También significa que ustedes tienen la obligación de dar un buen ejemplo a sus hijos en términos de caridad y voluntariado.

Su iglesia doméstica hallará su vida y su completud en la vida de la parroquia local. El sacerdocio del pastor y sus colegas no entra en competencia con el de ustedes, sino que está ahí para apoyarlo. La oración común que comparten en pareja y en familia se realiza en toda su perfección en la liturgia de la Iglesia. ¿Y qué mejor manera de aprender lo que significa el entregarte a tu pareja en cuerpo y alma, que encontrarse, todas las semanas (si no todos los días) con aquel Dios que dice «Este es mi cuerpo; esta es mi sangre, que entregué por vosotros»?

Ya no estamos en los días en los que lo único que se esperaba del cristiano común era orar, pagar y obedecer. Todas esas cosas las necesitamos, pero tu vida como cristianos católicos cotidianos debe cambiar y cambiará dramáticamente cuando crezcas en el sacramento del matrimonio. Por supuesto, el mayor crecimiento en tu iglesia doméstica tendrá lugar mediante la adquisición de nuevos miembros, sea aquellos que llegan como resultado del sacrificio físico de los cuerpos que los cónyuges hacen juntos en el lecho matrimonial, o por resultado de la recepción generosa de niños u otros familiares provenientes de una relación previa, o debidos a circunstancias especiales.

Fusiones y adquisiciones

En los negocios, cuando se habla de la fusión de una o más compañías, lo que se espera es que el nuevo todo será más grande y más exitoso que la suma de sus partes. En el caso ideal, dos empresas que se unen trabajan para crear una organización enteramente nueva, con una identidad y una cultura frescas. Al principio, esta nueva identidad es un ideal sin realizar, pero es importante porque la meta de la fusión es precisamente el trabajar hacia ese ideal. Una fusión saludable se centra en el establecimiento de una sociedad en la que cada miembro tiene espacio, libertad y recursos para crecer, ganar, y beneficiarse, y sobre todo para alcanzar un potencial que los miembros no tendrían de seguir por separado.

Las fusiones en el matrimonio se basan en una sociedad igualitaria de vida y amor, incluso si los miembros entran en el matrimonio con cantidades diferentes de equipaje, deuda, o activos. Las adquisiciones son más complicadas, y ocurren cuando una fusión marital incluye hijos, hijastros, padres que viven en el hogar, hermanos menores (adultos o no), familiares con necesidades especiales, familiares políticos.

Las fusiones maritales siempre son en alguna medida una adquisición, nos guste o no; pero algunos tipos de adquisición requieren una respuesta más activa que otros, y deben ser examinados de una manera diferente. Por ejemplo, ya sea que decidan fusionar sus activos financieros o no, la deuda de tu nuevo cónyuge necesariamente se convierte en tu deuda, al menos en la medida en que él o ella es responsable de esa deuda y por lo mismo no puede contribuir aquella parte de sus ingresos que va a pagar la deuda. Los hijos, sin embargo, o los padres en tercera edad (una preocupación creciente ahora que la gente se casa a mayores edades y los ancianos viven más) traen consigo dificultades muy diferentes.

Cuando las empresas enfrentan una fusión o una adquisición, hay dos niveles principales de cuidado. Uno podría llamarse la dimensión estructural de la fusión. Tiene que ver con cosas como los edificios físicos, los sistemas computacionales, los equipos, los empleados, el inventario, etc.

El otro nivel es la dimensión cultural, que de algunas maneras es más difícil de visualizar, pero que incluye: patrones de comunicación, actitudes, niveles de moral, valores, niveles de trabajo en equipo, historia de la organización, carga laboral, satisfacción entre los empleados, y la historia de cambio de la compañía. Una de las cosas que hacen los consultores es examinar, a través de una variedad de medidas, las «capacidades de cambio» de una empresa en particular. Esto lo tienes que hacer tú también.

Como con las empresas, la mayoría de las parejas se enfocan, sobre todo al principio, en los componentes estructurales del matrimonio: la casa, los muebles, los electrodomésticos, los activos financieros y esas cosas. Es importante prestar mucha atención con todo eso, pero es igualmente importante, y con frecuencia mucho más difícil, cuidar de los componentes culturales del matrimonio: la visión colectiva, los objetivos y valores personales, las esperanzas y sueños, y todo lo demás. La manera de llegar a ellos, ya no en solitario sino juntos, incluye patrones saludables de comunicación, habilidades de negociación, técnicas de solución de problemas, y maneras de hacer las cosas. La calidad y el éxito de la fusión matrimonial dependerá en larga medida de la manera en que se manejen los dos niveles, el estructural y el cultural.

El desafío

Todo esto suena muy bien en abstracto y sin duda ya has ido ordenando algunas ideas en la cabeza, pero pongamos un par de ejemplos concretos y observemos los preocupaciones culturales y estructurales que habrá que atender en algunas relaciones en particular.

Rob y Becky tienen planeado casarse en seis meses. Ambos tienen veintiocho años. Rob tiene un grado en historia del arte, pero es dueño y gerente de un gimnasio. Becky es corredora de seguros, y conoció a Rob en el gimnasio. Ninguno ha estado casado antes pero Becky tiene un hijo de una relación anterior, una niña de seis años llamada Ellie. El padre de la niña todavía está presente en su vida, pero vive en un estado aledaño y sólo la ve más o menos cada dos meses, aunque ella pasa con él seis semanas todos los veranos. Rob ha tenido mucho éxito profesional. Ha sido gerente de varios gimnasios y compró el suyo hace poco. También ha ahorrado suficiente dinero para comprar y remodelar dos casas, una de las cuales ahora alquila.

Becky está preocupada con la idea de mudarse a una de las casas de Rob. El divorcio fue hace sólo dos años, y a ella y a Ellie les tomó cierto tiempo ajustarse. Ahora le preocupa que una nueva mudanza tan pronto podría ser muy dura para la niña. Por suparte, Rob está preocupado por la plata. Entre los dos ganan bastante, suficiente para mantener a la familia, y el ingreso adicional del alquiler de la casa en la que ahora vive él sería más que suficiente para pagar en común el arriendo de donde vive Becky, pero él no está convencido de pagar arriendo cuando es dueño de dos casas. A Rob también le preocupa que Becky nunca terminó sus estudios porque quedó embarazada de Ellie. Él preferiría que se mudaran a una de sus casas y que usaran el dinero que ahorrarían en arriendo para que ella volviera a la universidad a terminar su grado. Pero cada vez que Rob toca el tema ella se pone muy ansiosa. A Becky nunca le fue bien en la escuela, aunque siempre pudo pasar. A ella le preocupa tener que volver a estudiar, trabajar tiempo completo, y ser buena madre. Además no se siente suficientemente inteligente para Rob y para la familia de él. Los dos padres de Rob son profesores de universidad y su hermano es sacerdote. Las conversaciones que se dan en las reuniones familiares siempres son profundas, y ella siente que no puede contribuir nada. El miedo más grande de Becky si intenta volver a estudiar es que en vez de demostrar (a Rob, a su familiar y a sí misma) que puede lograrlo, en realidad fracase y demuestre que en realidad no tiene un lugar en la familia, o con él.

¿Ves cómo se dan las preocupaciones estructurales y culturales en un contexto como este? Hay miedos legítimos sobre propiedad, vivienda, empleo y estudios, pero todos están atados a preocupaciones mayores que incluyen cosas como la comunicación, las identidades personales, y la cultura familiar. Para llegar a las decisiones estructurales correctas, Rob y Becky tendrán que trabajar primero en las dinámicas culturales en juego en su relación, de manera que puedan decidir juntos qué valores quieren proteger y cuáles pueden dejar.

Rick y Katie tienen una situación muy diferente. Son amigos cercanos desde la secundaria, aunque nunca fueron novios, y después de la universidad siguieron caminos separados. Rick se graduó como ingeniero de sistemas en Texas, mientras que Katie se quedó en su ciudad natal, Mineápolis, y ahora es profesora de matemáticas en la escuela en la que estudiaron ambos. Rick se casó joven, y un par de años después se divorció, pero no tiene hijos. Katie se casó más o menos al mismo tiempo, y su matrimonio duró quince años, en el que tuvo dos hijos, y que terminó en un divorcio doloroso. Rick y Katie se reencontraron por Facebook, se vieron de nuevo cuando Rick volvió a Mineápolis para Navidad, y después se visitaron varias veces antes de comprometerse. En la fusión Rick está adquiriendo muchas cosas: dos niños revoltosos, los padres ancianos de Katie (con los que actualmente vive), y un ex-marido algo errático. Katie misma no entiende bien por qué Rick soporta todo eso. Rick, por su parte, se ve en problemas para darle una explicación más allá de que la ama, que siente que ella lo hace un mejor hombre, y que quiere ser parte de su vida en su totalidad, incluso con las cosas que son estresantes, intimidantes, e incluso embarazosas. Han hablado mucho sobre sus creencias, sus valores, y sobre cómo quieren vivir su vida juntos en familia. Donde encuentran dificultades es en el lado práctico de las cosas, y sobre todo en dónde vivir. Rick preferiría criar a los niños en Minesota, y no quiere hacer que Katie y su familia se muden de su lugar, pero no está seguro de poder encontrar un trabajo con un salario similar en Mineápolis. Katie reconoce que si se quedan en Minesota Rick se verá obligado a cambiar radicalmente su estilo de vida, y no sabe qué hacer, por todo lo que él está sacrificando por ella. El desafío para Rick y Katie es lograr traducir la fusión intercultural de su matrimonio para que sea una fusión práctica también.

Y el desafío para ustedes dos es el mismo. La cultura de la comunicación, de las finanzas, de familia, vida, amor, sexo, religión y todo lo demás debe estar ahí antes de que los ajustes estructurales que hagan juntos le sirvan bien a la entidad nueva que emerge: la pareja y la familia.

Mezclando las culturas familiares

Todo matrimonio es, en algún sentido, un «matrimonio mixto», no en el derecho de que involucre a gente de tradiciones religiosas diferentes, sino porque la cultura interna de cada familia es tan diferente. En ese sentido, la tarea de «mezclar» culturas familiares es esencial en todo matrimonio. Esto incluye desde acuerdos para las fiestas y feriados (con o sin los suegros), hasta la división de los quehaceres de la casa, hasta cómo manejar los conflictos con los vecinos. Esto es especialmente importante para las familias con hijos. Tus hijos no saben, por lo menos al principio, que en Navidad los regalos se abren el 24 de Diciembre porque así se hace en la familia de mamá aunque a papá le parezca un poco molesto. Los niños dependen de que los adultos les pasen una cultura que es significativamente completa, sin importar las fuentes de las que viene. Los adultos siempre pueden volver a la cultura familiar de su juventud, pero parte de su responsabilidad como padres es el darle a sus hijos una cultura en la cual crecer.

La mezcla de culturas familiares es aún más difícil cuando los niños provienen de relaciones anteriores. En los Estados Unidos, el 60% de las familias tienen hijos de padres distintos de aquellos que los crían. La tarea de ser padres en familias mixtas no es necesariamente más difícil que la tarea de ser padres en general; se puede tener una familia tradicional y encontrar dificultades criando a los hijos, y puede haber familias mixtas en las que la crianza procede sin mayores problemas, pero los desafíos de cada cosa son bien distintos.

Primero que todo, dependiendo de la situación, los niños en familias mixtas se encuentran perteneciendo a por lo menos dos núcleos familiares al mismo tiempo. Esta realidad es ya difícil de manejar para un adulto, ni qué decir para un niño. Esto significa que los padres y los padrastros tendrán que usar sus mejores habilidades de negociación en la solución de conflictos. Los conflictos serán inevitables, especialmente dado que las diferencias en culturas familiares y el fracaso en mezclarlas son parte de por qué la primera relación no funcionó. Por eso hay que encarar los conflictos directamente, y no simplemente soportarlos. Las concesiones son necesarias, y son una herramienta importante de negociación, pero no son la única. Por ejemplo, si hay un problema recurrente con la hora de dormir, acordar que será 9:30 (en vez de 9:00 ó 10:00) será útil en el corto plazo, pero a largo plazo ambos padres tendrán que establecer qué valores hay que priorizar, que ayuden a llegar a una hora de dormir más temprano o más tarde. Lo importante es establecer, por lo menos, un plan común, aún si resulta diferente del plan de la pareja anterior.

Los niños pueden determinar que tienen un horario diferente en la casa de mamá que a papá, pero es mucho más difícil averiguar por qué a veces la hora de acostarse a papá es el mismo tiempo que a la mamá y veces no lo es (por ejemplo, como cuando la madrastra está cerca).

Para parejas, la clave en todos los esfuerzos en el componer de culturas distintas de la familia- ya sea con niños o sin ellos- es, articular continuamente el plan común que los dos de ustedes comparten con la familia de manera que cumpla con su visión como cónyuges cristianos. Si esa visión siga la primordial y que sea la preferente al futuro, límites, reglas de la casa, y las formas adecuadas de relacionarse finalmente caer en su lugar. Sólo por hacer una visión y un plan de los dos de ustedes juntos, hará toda la diferencia.

Capítulo 3

La gracia y la Naturaleza: O, ¿Cómo no perderse?

Un principio absolutamente fundamental de la teología católica proviene de Santo Tomás de Aquino, "La gracia no destruye la naturaleza sino que la perfecciona y cumple con ella." Esto es importante porque en algunas teologías protestantes sobre la gracia; la gracia funciona precisamente al contrario. En ellas, la gracia abruma nuestra naturaleza hasta que llegue a ser algo diferente que era antes. El punto aquí es que la enseñanza tiene un impacto importante en tanto nuestra teología del matrimonio y de nuestra experiencia vivida de la misma. Si la gracia destruye la naturaleza y la sustituye por otra cosa, entonces el propósito del matrimonio- que es la relación de gracia en el que uno se introduce en una relación con Cristo- entonces el deseo de uno es perder uno mismo completamente. Por el contrario, si la gracia perfecciona la naturaleza, que ya es buena, entonces el matrimonio le ayudará a ser más a sí mismo, cumpliendo con su potencial con mayor perfección; y llegando a ser la persona que siempre estaba destinado a ser – que es el yo mismo – pero perfeccionado en Cristo.

¿Cómo se lo ve esto en términos concretos? Las vacaciones son un buen ejemplo. Las principales fiestas son típicamente una fuente importante de tensión en la mejor de las situaciones familiares, y mucho menos en los complejos mezclados. Si una pareja viene de una gran familia, que nunca deja pasar la oportunidad de reunirse como familia y la otra parte proviene de una tradición familiar más pequeña, más íntimo a continuación, simplemente afirmar la propia tradición puede ser intimidante al uno y el aislamiento para el otro. El desarrollo de sus propias tradiciones de la familia, sin dejar de respetar aquello de lo que ambos vienen, y la integración de las tradiciones de la familia existentes no es sólo una forma particular, soluciones intermedias, puede ayudarle a mantener un sentido más fuerte de la identidad personal. Una forma muy práctica de realizar esto es establecer un nuevo patrón desde el principio, sobre todo el primer año que está casado. A veces esto significa pasar todo el día de fiesta por su cuenta, o tal vez significa voltear alrededor de los tiempos que se suele pasar con cualquiera de los lados, pero haciendo algo significativo y radical desde el principio, es probablemente la mejor manera de establecer su independencia como una pareja y para dense la libertad para comenzar nuevas tradiciones de su propio.

Otra manera importante es, con frecuencia, reafirmar en su pareja esas cualidades de él o, ella que al principio te atrajo en el primer lugar. Si su carácter independiente y la creatividad es parte de lo que le atrajo a ella al principio; entonces, no deje perder su habilidad especial para la fabricación de joyas o el trabajo de diseño, incluso si eso significa renunciar a un poco de espacio en la casa para ella para guardar sus materiales. Del mismo modo, si su introspección y reflexiva de la personalidad te ayuda a inspirar; luego, le dará el tiempo y el espacio para estudiar, y afirmar esa en él de modo que él tiende a esa parte de sí mismo. El punto del matrimonio es que nos convertimos en guardianes, cuidadores del otro sus dones y talentos y no simplemente de los nuestros.

Esto es importante porque la mayoría de nosotros tenemos la tendencia es dar hasta que tengamos no más, resultando en la pérdida de lo mejor de lo que teníamos que empezar.

Resumen

- ¿Cómo es su familia diferente de sus padres y abuelos? ¿Cómo es esto diferente de la cultura de los padres y abuelos de su cónyuge?
- ¿Por qué la fusión de las culturas de la familia y la adquisición de nuevos miembros afectan a la cultura de la familia que ha establecido? ¿Cómo se puede tener la intención de preservar los valores que más apreciamos?
- ¿Cuáles son los tres cambios significativos que usted o su cónyuge tiene que hacer para construir efectivamente la cultura de la familia que, como pareja, ha decidido dar su fuerza?
- ¿En qué consiste la aleación de su propia familia con la que su cónyuge? ¿Qué temores tiene usted? ¿Qué espera para el crecimiento y el cambio?

Libro II:
¿Hacia dónde vamos?

«No se angustien. Confíen en Dios, y confíen también en mí. En el hogar de mi Padre hay muchas viviendas; si no fuera así, ya se lo habría dicho a ustedes. Voy a prepararles un lugar. Y si me voy y se lo preparo, vendré para llevármelos conmigo. Así ustedes estarán donde yo esté. Ustedes ya conocen el camino para ir adonde yo voy.» Dijo entonces Tomás: «Señor, no sabemos adónde vas, así que ¿cómo podemos conocer el camino?» «Yo soy el camino, la verdad y la vida», le contestó Jesús. «Nadie llega al Padre sino por mí». Juan 14:1-6

En el Libro I, ustedes analizaron quiénes son ustedes como pareja. Exploraron los valores e ideales que tienen en común e identificaron una Visión común para su vida juntos. En este segundo libro, vamos a ser más prácticos. Tener un sueño y establecer una Visión es solamente el primer paso. Para que las cosas funcionen, deberán pensar en objetivos que puedan lograr juntos y de los cuales sean responsables, con expectativas claras para su relación de aquí en adelante.

Un programa de presupuestos y horarios, de hipotecas y préstamos, de cenas de fin de año y de turnarse para cuidar a algún hijo enfermo tal vez no suene como lo más romántico del mundo, pero a la larga la espiritualidad de su matrimonio dependerá de cómo manejen estas cosas como pareja. Si un presupuesto está bien hecho, les da poder, y las reuniones familiares pueden ser momentos para crecer y sanar, a medida que ambos se vayan convirtiendo en las personas que están llamadas a ser. Esto, después de todo, es la idea central, la misión de su matrimonio desde el principio hasta el final.

CAPÍTULO 4:
Con miras al premio:
Estableciendo objetivos y trabajando para lograrlos

Seguramente ahora reconoces la importancia del «nosotros» en vez del «yo» a la hora de pensar en tu matrimonio y en vivirlo. Ahora eres parte de una comunidad nueva, aun cuando esa comunidad solamente consista en dos personas. Las decisiones que tomes, los proyectos que consideres y las consecuencias que sobrelleves ya no son tuyas solas, sino de tu pareja, también. Los beneficios de pertenecer a esa comunidad sopesan los aspectos negativos, y uno de los más importantes es éste: habiendo establecido la Visión, habiendo identificado los valores centrales y habiendo producido símbolos comunes poderosos, ahora sabes – saben – en qué creen y qué defenderán. Ya no tienen que tomar decisiones según análisis de costo-beneficio, de lo que quieren versus lo que pueden pagar. Sus prioridades han cambiado, y las preguntas que se hacen ahora giran en torna a un «nosotros y nuestros objetivos», en vez de en torno a un «yo y lo que quiero» . Esta parte del matrimonio sirve para hacer que tú y tu pareja sean mejores personas.

Pero esto no ocurre automáticamente. Los dos deben hacer un esfuerzo intencional para lograr su sueño, aun cuando los ideales sean abrumadores y parezcan lejanos y elusivos. Una de las cosas más importantes en la relación, entonces, será establecer periódicamente objetivos claros, lograbies y medibles para llegar al premio que buscan.

Objetivos:

- Identificar maneras de emplear una misma visión sin perderse como individuos en el proceso.
- Armar una lista de al menos cinco de las categorías de dimensiones objetivas que presenta el capítulo.
- Establecer tres objetivos para lograr en los próximos seis meses.

Estableciendo objetivos

Todos necesitamos de objetivos para lograr – es parte del espíritu humano. Al armar juntos la Visión, seguramente llegaron a un acuerdo en cuanto a lo que son el uno para el otro. La cuestión, ahora, es cómo lograrla.

Establecer objetivos es el primer paso para avanzar hacia el sueño. Necesitan retornar a ese estado ideal de la relación que les permitió escribir su Visión. ¿Cuál era la condición de posibilidad para las cosas que se propusieron? En otras palabras, ¿qué cosas serán necesarias para ayudarlos a lograr sus sueños, a concretar su Visión? ¿Qué tipo de independencia financiera necesitarán? ¿Qué tipo de trabajo necesitarán realizar? ¿Qué papel jugarán las promociones de trabajo en sus planes generales? ¿Qué lugar tienen los hijos en sus planes matrimoniales? ¿Qué planes tienen para sus padres, a medida que ellos envejecen? ¿Y para posibles familiares enfermos? ¿Cómo se las ingeniarán en caso de catástrofe o accidente? Deben considerar todo esto a medida que establecen sus objetivos.

No tengan miedo de volar alto a la hora de soñar su futuro, pero sí sean específicos y claros en el momento de articular sus objetivos. «Queremos tener un pasar relativamente bueno» es un sentimiento noble, pero como objetivo es pobre. ¿Cómo sabrán si lo lograron? «Queremos tener un ingreso colectivo que exceda los $70.000 al año para cuando cumplamos 40 años» es un mejor objetivo: es corto, medible, sucinto y tiene un término límite. «Queremos obtener nuestras maestrías dentro de los próximos cinco años» es un buen objetivo, pero necesita ser clarificado. Mejor sería, por ejemplo, «Ella necesita una Maestría en Administración de Empresas y yo una Maestría en Educación. La suya le brindará más dinero que la mía, así que ella deberá hacerla primero para poder pagar mi educación». De esta manera, cuando cada uno cuida a los hijos mientras el otro estudia, invierten parte de ustedes mismos en la carrera del otro. Es por esto que establecer objetivos claros es tan importante.

Capítulo 4

Escribiendo los objetivos de la relación

Mientras que el ejercicio de escribir la Visión comenzó como algo individual que luego se amplió a la pareja, el ejercicio de establecer los objetivos comunes da mejores resultados si de entrada lo hacen juntos. Los objetivos individuales seguirán siendo, ciertamente, parte de la vida de cada uno, y parte de lo que comparten juntos en su matrimonio será el gran esfuerzo de lograr esos objetivos. Pero esos objetivos deben ir a la par de los objetivos de la pareja, y hasta deberán tener que pasar a segundo plano según las circunstancias. Escribir los objetivos de manera individual nos hace olvidar que somos un «nosotros» y nos lleva a enfocarnos más en el «yo» .

Deben decidir desde el principio la dimensión de su relación que quieren explorar juntos en cada momento. ¿Será hoy sobre su vida familiar? ¿Será sobre su situación financiera? ¿Explorarán sus carreras y los efectos de las mismas en su vida de pareja y de familia?

Se trata, en resumen, de que planeen su matrimonio estratégi-camente. Organizaciones de todo tipo han venido realizando este tipo de planeamiento desde hace décadas, asegurándose de que los objetivos sean:

ESPECÍFICOS: Los objetivos deben ser concretos y claros. Es mejor tener más objetivos que sean distinguibles unos de otros que tener objetivos vagos que nunca van a poder saber si se cumplieron o no.

MEDIBLES: Los objetivos son metas en el camino hacia la Visión y, por eso, deben ser fáciles de medir para saber si se alcanzaron o no.

LOGRABLES: Los objetivos son herramientas para lograr la Visión. Si realmente quieren poder lograr la Visión, entonces los objetivos deberán ser logrables también.

RELEVANTES: Los objetivos necesitan actuar como puentes entre el lugar donde hoy está su relación y el lugar donde quieren que esté en el futuro. Además de ser identificables, medibles y logrables, deben también extender la Visión de la pareja.

De plazo limitado: los objetivos necesitan tener fechas específicas para asegurar su cumplimiento. Las cronologías permiten seguirlos de cerca, observando si los logramos o no, esclareciendo nuestra Visión.

Categorías multidimensionales

Tal vez les resulte útil dividir los objetivos según categorías, observando cómo se relacionan unos con otros. Obviamente, los objetivos financieros y la habilidad de ustedes para alcanzarlos va a tener una influencia directa sobre los objetivos educativos y recreacionales. Los objetivos profesionales pueden impactar profundamente la decisión de comprar o alquilar un hogar, de quedarse en una ciudad o mudarse, y cuánta energía invertir en las relaciones sociales. Aún más importante, sus objetivos espirituales deberán, en cierto sentido, los que dirigen y coordinan sus otras preocupaciones.

Aquí hay algunas categorías típicas que cubren un amplio espectro de actividades de pareja y de familia. Considérenlas para poder establecer los objetivos claros y concretos que definirán su vida juntos.

Familia – Establecer objetivos claros para la vida familiar es importante desde el principio. El tema de cuántos hijos tener y cada cuánto tiempo es de gran importancia, pero también lo son cosas como manejar las relaciones con los suegros, el contacto (o no) con otros familiares, el cuidado de padres y familiares enfermos o ancianos, y tal vez hasta de amigos muy cercanos. Estas decisiones tienen gran peso sobre una serie de preocupaciones en su vida de pareja. El planeamiento familiar depende, en gran parte, del carácter de su vida íntima juntos. Manejar las relaciones tiene todo que ver con cómo manejar el tiempo libre. Y todo esto, por supuesto, busca respaldo en la vida financiera.

Finanzas – ¿Cuánto dinero gana cada uno hoy? ¿Cuáles son sus respectivos potenciales laborales? ¿Desean continuar sus carreras o alguno preferiría quedarse en casa? ¿Cuánto dinero necesitan ahorrar para su jubilación? Sus hijos, ¿van a ir a escuelas católicas, a escuelas públicas o van a estudiar en casa? ¿Cuánto dinero necesitarán para asegurarse de que cada miembro de la familia tenga tiempo libre? ¿Tienen fondos de emergencia? ¿Cuánto dinero hay en esos fondos? ¿Qué harían si el día de mañana uno de ustedes sufriera un accidente catastrófico o una enfermedad debilitante?

Salud y bienestar: – ¿Son fanáticos de ir al gimnasio? ¿Hacen ejercicio solamente por cuestiones de salud, por ejemplo para evitar un infarto? ¿O son felices tirados en el sillón? Esto último, como extremo, probablemente no les permita alcanzar sus sueños, pero ¿qué es razonable en cuanto al ejercicio físico? ¿Qué ejemplo le quieren dar a sus hijos? ¿Cómo manejan las lesiones y la enfermedad? ¿Qué provisiones han hecho para sus salud mental psicológica? ¿Cómo se apoyarían en caso de depresión, ira o necesidad? ¿Qué piensan sobre la psicoterapia? Si fuera necesario, ¿la probarían, no solo por su propio bien sino también por el de la pareja? ¿Cómo oraganizarán su tiempo individual para estar presentes en la vida del otro, y su tiempo juntos para estar presentes como pareja?

Intimidad – La intimidad va mucho más allá del sexo, aunque en un matrimonio cristiano el sexo es un componente esencial de la relación. ¿Cómo se van a revelar sus deseos íntimos y sexuales? ¿De qué manera van a responder a esos deseos? ¿Cómo van a comunicar cualquier incapacidad de responder a un deseo en particular sin que el otro se sienta rechazado? ¿Cómo se van a convertir en la persona justa para el otro en sus relaciones íntimas? ¿Cómo se van a comunicar sus necesidades para hacer que la otra persona sea mejor?

Recreación – El descanso, la recuperación y el rejuvenecimiento nos ayudan a re-crearnos. ¿De qué manera se van a recrear ustedes, tanto individualmente como en pareja? ¿Harán caminatas nocturnas o correrán por las mañanas? ¿Viajarán juntos cada verano o usarán sus vacaciones como voluntarios en Hábitat para la Humanidad? Ir a esquiar cada invierno afectará sus finanzas, pero también lo harán los campamentos de verano, aunque de diferente manera. ¿Y qué piensan con respecto a los pasatiempos diarios y los materiales que puedan necesitar para realizarlos? ¿Cómo afecta todo esto su participación en la comunidad?

Relaciones – Ningún matrimonio es solamente para la pareja misma. Deberán establecer relaciones con otros para poder mantener una relación sana entre ustedes. Pero, ¿con quién y qué tipo de relación? ¿Qué pasa si el otro tiene amigos del sexo opuesto con quienes pasan tiempo solos? ¿De dónde salen sus amistades? ¿Del trabajo, la escuela, la iglesia, la biblioteca? ¿Cómo influyen estas relaciones en su relación marital y en su relación con sus hijos y el resto de su familia?

Carrera – Primero, debe quedar claro que, para los dos, su matrimonio es su carrera principal. Cualquier otra cosa es una carrera secundaria que debe ser vista a través de la Visión y de lo que es óptimo para la familia entera. ¿Cuán importante es su carrera profesional? Si uno de ustedes debe dejar de trabajar, ¿cómo tomarán esa decisión? ¿Qué tipo de cambios y ajustes estarán dispuestos a hacer como pareja y qué queda fuera de toda concesión? ¿Qué tipo de valores los guiarán al tomar decisiones que afecten el trabajo y la familia?

Educación – Todo cristiano debe desarrollar su intelecto al máximo según la etapa de vida en la que se encuentra. ¿Qué espacio dejarán libre en su matrimonio para continuar con su educación, tanto formal como informal? ¿Qué pasatiempos, prácticas y oportunidades los ayudarán a crecer intelectualmente, tanto de manera individual como en pareja? ¿Cómo informará ese crecimiento intelectual su práctica de la fe?

Religión y espiritualidad – Se necesita una vida matrimonial robusta como base de todas las categorías mencionadas. ¿Cómo piensan continuar su visión común de lo que es el matrimonio y la vida familiar? ¿Qué es razonable pedirle al otro y qué necesidades espirituales deberán ser logradas individualmente? ¿Qué diferencias tenemos en nuestra espiritualidad, y qué similitudes? ¿Cómo podemos desafiarnos a crecer espiritualmente? ¿Cuáles son los puntos de conflicto o discordia en nuestra vida espiritual?

A menudo pensamos que son los religiosos los que están llamados a vivir en pobreza, pero los cristianos casados también lo estamos, en cierta manera. Los monjes y las hermanas deciden despojarse de todas sus pertenencias individuales, convirtiendo todo en objetos en común. En un matrimonio cristiano, también hay objetos en común, y no solamente sus cuentas bancarias. Sus luchas religiosas y espirituales tendrán impacto en los objetivos personales y emocionales del otro. Sus objetivos educativos afectarán su situación financiera. Sus planes de recreación determinarán cuánto trabajan y cómo pasan su tiempo libre. La clave, como en todo, es hablar de todo esto de manera clara y desde el principio.

La importancia de los hitos claros

Así como los objetivos específicos son importantes, también lo son los hitos claros. Necesitarán saber no solamente cuándo han alcanzado sus objetivos, sino también cuándo están por alcanzarlos. La vida puede volverse soporífera si lo único que hacen es mirar hacia lo que será sin referencia a lo que es hoy.

A medida que establecen sus objetivos y determinen una cronología razonable, consideren de qué manera marcarán sus logros intermedios. Por ejemplo, mientras que terminar de pagar la hipoteca y hacer una fiesta para celebrar es algo que vale la pena, a la mayoría de la gente le llevará mucho tiempo llegar a eso. Pero si festejan con una botella de vino por cada $5.000 que pagan, entonces pueden ir celebrando su ahorro a medida que avanzan al objetivo final.

Una gran parte de lo que hacen entre ustedes los ayuda a cultivar la virtud. Ciertos buenos hábitos serán importantes para lograr ciertos objetivos.

Por ejemplo, la paciencia y la perseverancia serán importantes para completar una maestría, el coraje lo será para cambiar de carrera y la templanza los será para perder peso. La verdadera virtud que ustedes desarrollarán, sin embargo, es la prudencia. La prudencia es la virtud del jugador, es saber cuándo mantenerse en el juego (o cuándo retirarse) y tener el coraje de hacerlo. Cultivar la prudencia en algunos aspectos de la vida matrimonial será la base de los próximos capítulos.

Resumen

- El matrimonio es «nosotros» y no «yo» .
- Si se quieren lograr los objetivos en pareja, deben ser establecidos en pareja.
- Los objetivos individuales no dejan de ser importantes, pero necesitan ser integrados a la visión amplia de la pareja y de la familia.
- Son objetivos pequeños y a cierto plazo los que nos permiten avanzar hacia la Visión.
- Celebrar juntos las pequeñas victorias en el camino hacia la Visión es clave para lograr los objetivos comunes.

CAPÍTULO 5:
Financiando la Visión:
Transparencia financiera y serenidad personal

«Un presupuesto es más que una serie de hechos y figuras.... Es un docu mento moral que revela nuestros valores y compromisos espirituales más profundos...»
– Cardenal Timothy Dolan, Arzobispo de Nueva York

Como señala el epígrafe, los presupuestos importan. Importa de dónde vienen nuestro dinero. Y, más que nada, importa cómo decidimos gastarlo. Jesús dice: «Donde esté vuestro tesoro, allí estará también vuestro corazón» (Mateo 6:21). En otras palabras, si quieren ver lo que realmente valoran, miren cómo gastan su dinero y cómo utilizan sus recursos. Si tenemos una Visión como parejas, y como familias, entonces la manera cómo utilizamos nuestros recursos reflejará los valores más centrales de esa Visión.

Objetivos:

- Entender por qué las preocupaciones financieras representan un desafío aún en los matrimonios saludables, y por qué las conversaciones en torno al dinero tienden a causar tanta ansiedad.
- Identificar por lo menos tres mitos financieros.
- Explicar la importancia de articular claramente los valores generales que guían su filosofía financiera.

No me ves...

Todos hemos jugado este juego cuando éramos pequeños, ¿verdad? A medida que el niño entiende cómo funciona el juego de las escondidas, se tapa sus ojos y dice: «No me ves», y se ríe, divertido. Se ha dado cuenta de que cuando se cubre los ojos, no puede verte y piensa que si no te puede ver, tú tampoco lo puedes ver a él. Por supuesto, se equivoca, de la misma manera que se equivocan los millones de parejas que eligen ignorar la importancia de las finanzas en su vida de pareja. La Visión debe estar financiada de alguna manera, y si los recursos (que no se limitan al dinero) fallan, el matrimonio será inestable.

Muchas parejas evitan y hasta se rehúsan a hablar de sus finanzas. A menudo, esto se debe a que desde el principio piensan que el otro tiene una filosofía financiera diferente. Ya sea porque ella ahorra y él gasta, o porque él es un contador y ella cree que por eso él debe estar a cargo de las finanzas de la familia, el hecho de no asumir igual responsabilidad en este aspecto puede conllevar a problemas enormes en la relación. Uno de ustedes tal vez esté mejor capacitado para manejar las finanzas del hogar, pero tienen que ser claros desde el principio con respecto a sus actitudes, expectativas y valores para que más tarde no haya confusión ni resquemor. En este sentido, la vida financiera no es muy diferente al resto del matrimonio: se trata, en este caso, de comunicar claramente las expectativas y los valores relacionados a las finanzas de la familia.

Este capítulo no es sobre cuáles son las mejores inversiones, los planes de jubilación más lucrativos o los mejores seguros de vida para proteger la familia. Es sobre cómo financiar la Visión, el puesto que Cristo y Su Iglesia les han dado a ti y a tu pareja, y sobre la manera de concretar la Visión en su propio matrimonio y su vida familiar. Para lograrlo, deberán estar seguros de que todos los recursos – financieros y no financieros – estén presente para respaldar la Visión, y deberán articular las actitudes y los valores que cada uno tiene, que determinarán cómo ganarán, administrarán y gastarán su dinero.

Sé fiel a ti mismo

En casi todos los casos, las actitudes hacia el dinero, cómo se gasta y el papel que juega en nuestras vidas se aprenden en la niñez. Normalmente, nuestra manera de gastar, de invertir y de usar nuestros recursos son el producto de la familia en la que nos criamos. A veces, cuando las prácticas financieras de nuestra familia fueron excesivamente extravagantes o opresivamente severas, nuestros propios hábitos son el reflejo de nuestro rechazo hacia las mismas. Cualquiera sea el caso, antes de enfrentar el tema de las finanzas con tu pareja, es necesario que tengas bien en claro cuáles han sido y cuáles son tus prácticas fiscales, y qué te gustaría hacer en tu vida matrimonial.

¿Cuál es tu relación con el dinero? ¿Es un instrumento para lograr un cierto objetivo o es algo más? ¿Temes gastar tu dinero, ahorrando hasta el último centavo y gastando sólo lo que es absolutamente necesario? ¿O gastas libremente, llegando con dificultad a fin de mes o endeudado con la tarjeta de crédito? ¿Cuál es tu historial de deudas y cómo ha afectado la manera cómo gastas hoy? ¿Ya has cancelado tu préstamo estudiantil? ¿Tienes otras deudas personales? ¿De qué tipo y cómo piensas pagarlas? ¿Cuál es tu actitud con respecto a las deudas? ¿Cómo te afecta a nivel personal, moral y espiritual? ¿Cómo gastas tu salario? ¿Cómo debería gastar el dinero tu pareja para que tú te sientas cómodo? ¿Tiene inversiones? ¿Has comenzado a ahorrar para cuando te jubiles? ¿Es importante que uno de ustedes se quede en la casa mientras sus hijos son pequeños? ¿Piensas que uno de ustedes debería ganar mucho más que el otro? ¿Qué tipo de fondos de emergencia tienes? ¿A quién recurres cuando necesitas ayuda o consejo financieros? ¿Qué harías si tuvieras que declararte legalmente en bancarrota?

Éstas y otras preguntas deben ser consideradas seriamente. Ninguna definirá tu filosofía financiera, pero en conjunto te ayudan a tener una idea clara de cuál es tu relación con el dinero.

Mitos sobre las finanzas familiares

Una vez que hayas llegado a entender tu relación con el dinero, estarás listo para hablar del tema con tu pareja. Es importante la previa reflexión individual para no dejarse influenciar por el otro. Existirá una tendencia a ceder, pero debes evitarla. Aun si uno de ustedes tiene mayores habilidades financieras que el otro, la conversación deberá ser equitativa. Es la única manera de sintonizarse y de evitar esos resentimientos profundos que surgen tras años de sentirse sin control sobre la propia vida financiera.

Un problema común que podrán encontrarán en estas conversaciones es lo que llamamos «los mitos sobre las finanzas familiares» . Debido a que casi todos aprendemos a manejar nuestro dinero según cómo se hacía en la casa de nuestros padres, asumimos como normales una serie de actitudes, percepciones y prácticas. Si tu pareja creció en una familia sin demasiado dinero, las conversaciones sobre el tema le pueden causar gran preocupación. Si, en cambio, viene de una familia de mucho dinero, tal vez no entienda la necesidad de establecer un presupuesto y esté más preocupada por temas tales como las inversiones. Debes estar atento a las preocupaciones, tanto las de tu pareja como las tuyas mismas, y analízalas con calma para no responder de una manera emocional que domine o determine tu propia actitud hacia el dinero.

Los fracasos financieros del pasado no determinan el futuro. Como con cualquier fracaso, el hecho de que haya ocurrido una vez no significa que ocurrirá otra vez. Podemos insistir con un «no soy bueno para manejar el dinero» o «no sabes ni cuadrar una chequera». Nada de eso es verdad y, para asegurarnos de que no se convierta en verdad, deben ocurrir tres cosas desde el principio. Primero, debes asumir la responsabilidad de cualquier fracaso que sea tuyo. Si estuvieras en la universidad y no supieras cómo usar una tarjeta de crédito, y luego amasaras una gran deuda, la pagarías porque sería tu responsabilidad. Pero si uno de tus padres se muriera o se enfermara gravemente, o si tus finanzas estuvieran mezcladas con las de alguna empresa familiar, o si tu identidad fuera usurpada, ahí la responsabilidad no sería enteramente tuya. No te hagas responsable de cosas que no son tu responsabilidad. Los errores financieros de los otros no son los tuyos – ni los de tus padres, ni los de tu familia, ni los de tus amigos, ni los de tu ex pareja. Segundo, comprométete a hacer las cosas de manera diferente. Aprende sobre aquello que hiciste mal, edúcate mejor sobre las finanzas en general, ignora las voces que te atemorizan con predicciones de ruina, desastre y fracaso. Que algo haya sido alguna vez de una cierta manera no quiere decir que vuelva a ser así. Y, finalmente, usa los recursos que tienes al alcance. Si no entiendes algo, pregúntale a tu pareja. Si tu pareja te pregunta algo y tú no sabes la respuesta, uno de ustedes seguramente conoce a alguien que sí la sabe. Y, si no, busquen la información en Internet, oen la biblioteca local, o contraten un profesional. Cualquiera sea lo que hagan, tengan en cuenta que su futuro juntos está determinado por ustedes dos y por Dios. Nada más los puede controlar – ni el pasado de nadie, ni sus hábitos, ni su manera de hacer las cosas.

Negociando las diferencias

¿Cómo se negocian las diferencias genuinas de filosofía financiera resultantes de distintas perspectivas familiares, sociales y económicas? Usa las herramientas que han ido desarrollando para facilitar, manejar y negociar el conflicto. No anticipes de entrada que va a haber un ganador y un perdedor. No trates de persuadir, sino de entender. No decidas que tu pareja va a cambiar y que sólo es una cuestión de tiempo y de fuerza de voluntad – todo cambio necesita un intercambio abierto y honesto. No decidas hacer algo tú solo, o dejar que el otro lo haga solo. Identifica y nombre tus sentimientos, aun los sentimientos relacionados los sentimientos de tu pareja. Apoya a tu pareja donde puedas apoyarla y asegúrale que no están atados a su pasado financiero (aun cuando lo están, en forma de deuda). Apoya tu posición con razones de peso. Dale la bienvenida al acuerdo auténtico, y permite que este tipo de resolución de conflicto sea cada vez frecuente.

Nada de esto quiere decir que los conflictos sobre el dinero no sean reales o que deberían ser apenas tocados. Por el contrario, si ustedes tienen filosofías financieras que son fundamentalmente diferentes, deben comprometerse a un cierto grado de cambio si es que quieren darle una oportunidad a la relación. Es por esto que enmarcar el tema financiero en términos morales y espirituales es tan importante. «¿Cuánto dinero deberíamos ahorrar cada mes?» no es la pregunta correcta para empezar la conversación. Mejor sería empezar reflexionando sobre los valores ya establecidos que ustedes comparten. ¿Qué estilo de vida quieren tener? ¿Cuáles son sus necesidad financieras auténticas? ¿Cuáles son sus deseos genuinos? ¿Qué lugar tendrá la caridad en sus finanzas? ¿Cuáles obras de caridad les importan más? ¿Qué expectativas tienen en cuanto para su tiempo libre y su recreación? ¿Piensan que las expectativas del otro son razonables? ¿Por qué sí o no?

Es importante desde el principio hablar del tema financiero. Pero si hablar del mismo les causa demasiado estrés, tal vez deban considerar ser asesorados por un experto – ya sea financiero, psicológico, o ambos – . Cómo vemos el dinero viene de diferentes lugares: la casa de nuestros padres y la vida familiar, por supuesto, pero también la educación, nuestro nivel económico, los medios de comunicación, nuestros amigos, la sociedad en general y hasta la religión. Por esto es tan importante tener bien claros los valores centrales de la relación antes de hablar de las finanzas. La manera cómo gastamos el dinero deberá reflejar nuestros valores más profundos, y no a la inversa. La serenidad financiera es posible, pero tal vez no sea fácil lograrla… en realidad, pocas cosas que valen la pena lo son.

El dinero: ¿la raíz de todo mal?

Una manera cómo la tradición cristian ha contribuido a una cierta preocupación sobre las finanzas es que la posición de la Iglesia en cuando al dinero parece ambivalente. Los sacerdotes se ven forzados a pedir dinero porque los católicos tienden a no ser generosos en sus donaciones. A la vez, los religiosos católicos (monjes, frailes, monjas, hermanas, etc.) toman votos de pobreza y se rehúsan a tener pertenencias. Gran parte de la obra de la Iglesia consiste en cuidar a los pobres y a los marginados, y hasta predicamos en su favor. Si combinamos esto con una cita atribuida a la Biblia – «El dinero es la raíz de todo mal» – , nos encontramos en una situación crítica.

La cita, por supuesto, es incorrecta. La versión verdadera, que se encuentra en Timoteo 6:10, dice que «el amor por el dinero es la raíz de todo mal». ENORME DIFERENCIA. El dinero es una herramienta moralmente neutra para el intercambio económico; sin embargo, un deseo trastornado por el dinero, u otros bienes, es «la raíz de todo mal» porque el deseo mismo está mal: confunde el medio con el objetivo, la herramienta con el premio.

Esta preocupación puede presentarse en las parejas de doble ingreso, ya que es fácil para ellas caer en la sensación de que «necesitan» ambos sueldos. Puede ser que de verdad sí los necesiten, especialmente considerando la economía actual, pero el error consiste en decidir el estilo de vida que quieren llevar de manera abstracta, reconociendo que los dos deberán trabajar para lograrlo y que los dos estarán resentidos porque sus trabajos los mantendrán separados para ganar el dinero que necesitan para poder estar juntos como quieren. ¿Logras ver la paradoja financiera que previene la serenidad financiera? Esto puede sucederles a parejas de todo tipo de trasfondo económico, pero merece particular consideración cuando tienen hijos. En el análisis de costo-beneficio, ¿realmente vale la pena pagar una guardería infantil de tiempo completo?

El punto es que ganar más dinero no siempre resulta en una mayor felicidad. De hecho, muy a menudo, resulta en lo opuesto. Lo importante es que el dinero sea un medio para llegar a un fin. Ama a tu pareja. Ama a tus hijos. Ama tu vida junto a ellos. Agradece lo que tienes. Usa tu dinero para mantener a tu familia. Pero no ames el dinero, o terminarás amándolo más que a tu familia.

El precio de la libertad

Hay un viejo dicho de la época de la Depresión: «No hay vergüenza en ser pobre – pero, ¡cómo incomoda!» Lo que el dinero compra, en última instancia, es ser libre de ciertas cargas y preocupaciones. Por eso es que muchas preocupaciones se relacionan con el dinero, lo que representan es la diferencia entre la pobreza y la abundancia. El dinero, o la falta del mismo, nos recuerda que la pobreza conduce a un tipo de esclavitud que termina inhibiendo nuestras acciones. Nadie quiere ser esclavo de la pobreza y por eso es importante tener los recursos necesarios para funcionar mínimamente bien.

Pero esto no quiere decir lo mismo para todos. Se podría asumir que esta actitud hacia el dinero, los recursos y la libertad financiera es muy dolorosamente de clase media, pero no es tan así. La cuestión de la libertad es central en la enseñanza de Cristo sobre la pobreza. Que la Iglesia cuide a los pobres y a los marginados no es porque Jesús quiera más a los pobres que a los ricos – después de todo, Él cenó tanto con escribas y fariseos como con pobres – , sino porque se busca resaltar que el empobrecimiento, material o espiritual, inhibe las libertades personales y nos pone presiones a la hora de tomar decisiones y de cuidarnos.

Resulta que para ser feliz no necesitas lo último en electrónica, o vacaciones de lujo o ropa de marca. Solamente necesitas tener acceso a aquello que verdaderamente satisface tus necesidades, y la libertad para hacer aquello que te convierta en una mejor persona.

Los cristianos son llamados a «la pobreza», es decir, a la vida simple, a través del ejemplo del mismo Jesús. Por eso, ya seas un religioso o un laico casado, el objetivo de la pobreza es el mismo: «La pobreza proclama que Dios es el único tesoro del hombre. Cuando la pobreza se vive de acuerdo al ejemplo de Cristo, quien «aunque era rico. . . se hizo pobre» (2 Corintios 8:9), se convierte en una expresión del regalo de su ser que se hacen las tres Personas Divinas, unas a otras (Vita Consecrata, 21). En nuestras vidas, siempre buscamos algo más, algo más profundo, lo queramos o no. Por esto, las decisiones fiscales y financieras que hagas con tu pareja no solamente determinan si podrán lograr la Visión de pareja, sino también determina la manera cómo ustedes contribuyen, como pareja, como familias y como individuos, a la misión de la Iglesia misma.

Resumen

- ¿Los preocupan las conversaciones financieras? Y, si ese es el caso, ¿por qué piensas que eso ocurre? ¿Coincide con la impresión que tiene tu pareja sobre la situación, o no?
- ¿Cuáles son los mitos financieros prevalentes en tu familia? ¿Y los de la familia de tu pareja? ¿Cómo pueden ayudarse mutuamente para sobreponerse a la ansiedad que les traen estos mitos?
- ¿Cuáles son los valores que guiarán su filosofía financeira general? ¿Cómo los van a ayudar a lograr su misión común y a alcanzar la Visión que planearon en el primer capítulo?

CAPÍTULO 6:
Los quehaceres de la pareja: La importancia de las expectativas

«Ah, sí, la vida continúa, por mucho después de que la emoción de vivir se vaya»
– John Mellencamp

Todos sabemos que las parejas jóvenes que recién se enamoran están en las nubes. Parte de por qué la mayoría de la gente recomienda no tener compromisos cortos es que cuando ese enamoramiento inicial se termina, la vida de pareja se vuelve tediosa y el matrimonio puede terminar en ruinas antes de siquiera florecer. Es importante encontrar maneras de poder continuar esos sentimientos de amor hacia tu pareja. Lo admitas o no (y la mayoría de los hombres no lo admiten), nuestros sentimientos y emociones se encuentran entre nuestros motivadores principales. Es posible que un matrimonio dure mucho después de que toda conexión emocional haya desaparecido, pero es mucho más fácil que dure si esa conexión sigue en pie. Esto no quiere decir que cada día deba parecerse al día de bodas, sino que las emociones – que son tan cambiantes – deben ser entrenadas para responder a lo que corresponde, para poder mantener el amor que forjaron juntos.

Objetivos:

- Explicar la importancia de las expectativas claras en la relación.
- Identificar habilidades básicas para tú y tu pareja.
- Discutir cómo dividir justamente los quehaceres.
- Identificar los componentes esenciales de cada quehacer.
- Distribuir los quehaceres y describirlos de manera detallada, incluyendo expectativas razonables y claras.
- Reflexionar sobre la continua importancia de los votos matrimoniales en la relación.

Platos, tareas y quehaceres diarios

La tarea diaria más importante de la pareja es proteger, desarrollar y mantener el amor y el romance en el matrimonio. Minimizando aquello que erosiona los sentimientos positivos hacia el otro – estrés, resentimiento, desacuerdos, distanciamientos, problemas económicos, entre otros – pueden concentrarse mejor en los ideales y la visión que han desarrollado para darle un propósito a su matrimonio, y para disfrutarlo en el camino. Lo que importa a fin de cuentas es que no podemos lograr lo que esperamos si no sabemos qué se espera de nosotros.

Una de las cosas más importantes que llevan al éxito de una organización, ya sea un negocio, una iglesia, una escuela o un matrimonio, es tener descripciones claras, razonables y logrables de los trabajos que hay que realizar. Además de dejar en claro quién realizará cada trabajo, estas descripciones explican qué se espera de quienes los hacen. En un matrimonio, ambos esposos contribuyen por igual, y la manera de contribuir consiste en hacer bien las tareas asignadas.

En una empresa responsable, cada empleado tiene un puesto. Algunos puestos son muy específicos y altamente formalizados, mientras que otros consisten en una lista general de tareas y responsabilidades. Si una compañía no le describe su puesto a un empleado, no puede funcionar bien y termina por fallar. Lo mismo puede ocurrir en el matrimonio.

Tal vez nunca se les ocurrió aplicar ese principio de negocios tan obvio a su matrimonio, pero ahora es la hora de hacerlo. Necesitan describir sus puestos de manera clara para apoyar su matrimonio. ¿Aún no están convencidos? Piénselo, entonces, de esta manera: ¿piensas que tu pareja tiene una idea clara todo el tiempo de lo que esperas de él o de ella? ¿Sabe realmente lo que tú haces todo el día?

Si nunca han tenido conflictos en relación a las expectativas sobre quién hace qué cosa en la casa, la Descripción de las Quehaceres de la pareja es la herramienta para ustedes. Lo que logra una Descripción de los Quehaceres es asegurarse de que no queden dudas de que el esfuerzo de ser una pareja y una familia es compartido por todos, según sus habilidades y preferencias.

Los desacuerdos por los quehaceres son una de las fuentes más comunes de conflictos maritales. Es por esto que es tan importante describir bien desde el principio cada quehacer, poniendo en claro las expectativas, para cuidar la relación, mejorar el estado emocional del matrimonio y proteger los valores que son importantes para ustedes.

La claridad es la clave

Los conflictos en la relación parten a menudo de la misma raíz: expectativas no logradas. Piensen en cuán a menudo han escuchado lo siguiente en sus trabajos:

- Deberías haberlo sabido. Has estado en esta compañía durante mucho tiempo.
- ¡Nadie más ha tenido dificultad en entender lo que había que hacer!
- Estuviste en la reunión al igual que todos los demás. ¿Por qué no entendiste lo que se dijo?

Ahora comparen eso con el número de veces que escucharon lo siguiente en su casa:

- Ya sabes que no me gusta cuando…
- Mi mamá/papá/ex novio nunca tuvo problemas en entender esto.
- Ya hablamos de esto la semana pasada. ¿Ya no me escuchas?

Hay una especie de regla de oro para las relaciones: si acostumbras a fallar en cuanto a lo que tu pareja espera de ti, no esperes que él o ella haga lo que tú le pidas, tampoco.

Por esto es que la claridad es tan importante. En una orquesta, un flautista sabe que no tocará el bombo. En el fútbol americano, un pateador sabe que no hará pases en el segundo tiempo. En un matrimonio, ambas partes deben también saber qué deben hacer, de acuerdo a sus competencias, intereses y disponibilidad, para poder hacerlo y avanzar hacia los objetivos en común.

Hasta hace poco – hasta la generación de sus abuelos – los quehaceres domésticos se dividían según el género de los esposos: tareas de mujer y tareas de hombre. Esto se hacía sin considerar el nivel de competencia de cada uno para llevar a cabo las tareas, es decir, sin considerar si el encargado de hacer la tarea lo podría hacer bien. Tal vez esto tenía sentido en el pasado, especialmente en aquellos lugares donde «trabajo» significaba «trabajo manual pesado» , como levantar cosas pesadas. Pero, aún entonces, las mujeres tenían un papel igualmente importante en la realización de los trabajos manuales del hogar.

Varias cosas han cambiado: las conveniencias modernas, los electrodomésticos, la venta de productos que antes se debían hacer en el hogar, los patrones de migración desde la ciudad hacia el campo, y una reevaluación general de los roles de género en la sociedad.

La Iglesia se interesa mucho en esta reevaluación, porque contrariamente a la mitología popular la Iglesia Católica ha sido más un agente de cambio en favor de los derechos de la mujer más que un obstáculo para los mismos. La Iglesia reconoce, respeta y exige la igualdad entre el hombre y la mujer. Al mismo tiempo, reconoce que las diferencias entre hombres y mujeres son importantes y que no son simplemente culturales.

«Papá» no es una palabra que significa «mamá masculina», y «mamá» no es una palabra que significa «papá femenino». Las mamás y los papás son diferentes, tanto como los hermanos y las hermanas, los esposos y las esposas. La diferencia no es solamente biológica o química, sino que llega a la misma dignidad de la persona humana. Es más: esta diferencia es algo *bueno.* Hombre y mujer no son polos opuestos, enfrentados uno al otro, sino que se complementan y, juntos, revelan lo que significa la totalidad de ser humano. El error de gran parte de la revisión de género de hoy en día es considerar que equidad es lo mismo que igualdad, lo cual en el ámbito de la sexualidad humana significa separar el sexo de la procreación, que es su mayor propósito.

Aun tras considerar todo esto, una clara mejora en la justicia de género son las leyes que protegen los derecho de la mujer en el lugar de trabajo. Insistir con que sólo las mujeres hagan café o que sólo los hombres muevan muebles podría ser la base de un juicio por discriminación, y con mucha razón. Al mismo tiempo, muchos de nosotros hacemos este tipo de discriminación «ilegal» en el hogar. Los estudios revelan continuamente que la mayoría de las mujeres que trabajan fuera del hogar piensan que los quehaceres domésticos deben ser compartidos por los dos esposos, y los hombres tienden a estar de acuerdo (en las encuestas, pero no en la práctica). Sin embargo, las mujeres continúan realizando la mayoría del trabajo del hogar y del cuidado de los niños, y esto es un problema serio. En líneas generales, los hombres no practican lo que dicen creer.

Las habilidades centrales de cualquier matrimonio incluyen saber manejar la vida, la comunicación, las negociaciones, los problemas, las saludes mental y física, la cría de los hijos, el romance, la intimidad (sí: ser romántico e íntimo son cosas que se pueden aprender y mejorar). El proceso de discernir y desarrollar habilidades, de respetar los temas con los que tu pareja sigue lidiando, y de desafiarse a crecer aún más es central a la hora de describir los quehaceres y de establecer expectativas claras.

Si el amor fuera simplemente un negocio, entonces la relación se basaría en principios administrativos sólidos, y los quehaceres serían distribuidos según la habilidad de cada persona para llevarlos a cabo. Sin embargo, dada la naturaleza del sacramento matrimonial, donde un matrimonio no busca solamente que la pareja viva en armonía sino que también se ayude a prosperar y a acercarse a Dios a través del otro, algo más debe estar presente al decidir quién hace qué cosa. Un hombre puede cocinar y una mujer puede hacer jardinería, siempre y cuando el hombre sepa cocinar y la mujer sepa hacer jardinería.

Pero, ¿qué sucede si el hombre es un cocinero excelente pero odia cocinar, o si la mujer creció en una granja pero se mudó a la ciudad por alguna razón? Las parejas no solamente deben tener en cuenta para qué es bueno cada uno, sino qué les gusta hacer. Si a él le encanta cocinar, si le encanta darle de comer a su esposa y sus hijos, entonces sería bueno si cocinara la mayoría de las veces. Y si a ella le gustan los trabajos manuales y puede mantener la casa, cortar el césped y ocuparse de los carros, entonces lo debería hacer, también. El matrimonio no es sólo para hacer lo que uno quiere y ciertamente habrá cosas para hacer que no nos gustarán, pero debemos asegurarnos de que las cosas que nos pedimos que hagamos nos gusten. La clave no es solamente encontrar la persona más adecuada para la tarea, sino también la persona que más la disfruta. Las mejores empresas también saben esto y, al hacerlo, logran la mejor calidad de trabajo de sus empleados.

Los niños son otro factor clave al momento de determinar y llevar a cabo un quehacer. Cómo vivan su matrimonio será el ejemplo más importante para sus hijos en cuanto a las relaciones amorosas y la vida familiar. Los valores centrales y la filosofía de vida implícitos son modelados frente a sus hijos según cómo ustedes, como padres, elijan sus tareas y las realicen. ¿Qué tipo de enseñanza sobre las mujeres le das a tu hijo varón cuando te ve sentado en el sillón mirando televisión mientras tu esposa lava los platos y limpia la casa (aun cuando los dos trabajan fuera del hogar)? ¿Realmente crees en esta imagen de matrimonio y de familia? ¿Éste es el tipo de vida feliz para ti, para tu pareja y para sus hijos que describieron juntos al armar la Visión?

En otras palabras, ¿cómo piensas que se sentirá tu esposa después de años de hacer quehaceres que odia y que tú te rehúsas a hacer? ¿Piensas que estará inclinada a ser generosa contigo (el propósito del matrimonio, después de todo) si nunca levantas ni un dedo para ayudar con las tareas más desagradables o mundanas? Las relaciones, como todo, están basadas en causa y efecto. Lo que obtienes es un resultado directo de lo que das o no das, y en la misma proporción.

Piensa en tus experiencias en el trabajo o en la escuela. Seguramente puedas recordar algún momento en el cual un compañero no hizo un esfuerzo de equipo. ¿Cómo te sentiste cuando alguien de quien esperaste algo falló o no hizo su debido esfuerzo? ¿Cómo reaccionaste? Lo hayas dicho o no, seguramente estuviste enojado y resentido. Ahora piensa en cómo se siente tu esposa cuando se ve obligada a hacer más de lo que le corresponde mientras tú, sentado por ahí, te preguntas por qué habrá perdido su manera cariñosa de ser. Si tú y tu pareja, juntos, no determinan y reparten los quehaceres del hogar y se apoyan en sus esfuerzos para completarlos, entonces habrá conflicto. Quedará por ver si el daños es reparable a la hora de que el conflicto los abrume.

Trayendo el trabajo a la casa

Tal vez sea más fácil completar la siguiente actividad después de analizar las descripciones de sus puestos de trabajo (si tienen uno). Probablemente haga referencia primero a las responsabilidades grandes, tales como la supervisión del marketing, ventas, operaciones, capacitación, etc. Luego tal vez se enfoque en tareas específicas: la implementación de un sistema automático de inventorio, la creación de programas de capacitación, el manejo del presupuesto, la producción de un informe de ganancias y pérdidas para el departamento, o la supervisión del contenido de la página web. Básicamente, la descripción expone primero las grandes responsabilidades y luego las tareas específicas que llevarán al éxito.

Los mismos principios deben gobernar la relación de pareja. Primero deben referirse a la Visión y luego deben decidir juntos quién hará las tareas, según cada categoría: el mantenimiento de la casa, el cuidado de los niños, el cuidado de los padres enfermos, el planeamiento financiero, etc. Después de esto, pueden continuar con tareas más específicas, tales como ver quién hace qué cosa dentro y fuera de la casa.

Ejemplo de cómo describir los quehaceres

Para una esposa y madre que trabaja a media jornada:
Descripción general:

- Mis responsabilidades generales son ser la principal cuidadora de nuestros hijos, ser una buena compañera para mi esposo, coordinar los quehaceres domésticos relacionados con la cocina y los baños, y hacerme cargo de varias de las tareas del hogar.
- Además de esto, trabajaré de 18 a 25 horas por semana, tanto para cubrir los costos de la educación pre-escolar de mis hijos y otras de sus actividades como para lograr una estimulación intelectual y un crecimiento profesional.

Para un esposo y padre que trabaja todo el día:
Descripción general:

- Mi responsabilidad general es trabajar para traer a casa la mayor parte de nuestro ingreso, para cubrir gastos, inversiones y planes de jubilación, y para lograr una estimulación intelectual y un crecimiento profesional.
- Mi presencia en la casa será regular y diaria para ser un buen padre para nuestros hijos y un compañero útil para mi esposa.

Ideas para describir las tareas matrimoniales

Las empresas acuden a una variedad de recursos para escribir las descripciones de los quehaceres: estándares corporativos, proyecciones, la experiencia de empleados y supervisores pasados, y hasta el aporte de los posibles empleados. Los matrimonios no son demasiado diferentes. Hayan o no desarrollado ya estas descripciones para su matrimonio, ya han internalizado muchas de las expectativas según su experiencia observando otros matri-monios, especialmente los de sus padres.

Saquen tanta ventaja de esos recursos como quieran, pero recuerden que no todos los matrimonios son iguales – inclusive, algunos matrimonios muy buenos pueden tener una receta diferente para el éxito de la que sería buena para ustedes dos.

Tal vez no les sorprenda que la Iglesia misma ofrece algunos recursos pertinentes, precisamente, a la visión cristiana del matrimonio. Como el matrimonio se basa en lo que ustedes se ofrecen a través de los votos matrimoniales, éstos son un buen lugar para comenzar.

En la boda, los novios se dicen:

> Yo, (nombre), te recibo a ti, (nombre), como esposa y me entrego a ti y prometo serte fiel en la prosperidad y en la adversidad, en la salud y en la enfermedad, y así amarte y respetarte todos los días de mi vida. (Liturgia de matri-monio, 25)

Así que, al menos en principio, la descripción laboral básica de los esposos es vivir una vida de donación al otro, bajo toda circunstancia, hasta la muerte. Esto es tan enorme como lo es impreciso.

Para llegar a algo un poco más descriptivo, podemos mirar lo que dice el *Catecismo*. Entre otras cosas, dice que:

> «La alianza matrimonial, por la que el varón y la mujer constituyen entre sí un consorcio de toda la vida, ordenado por su misma índole natural al bien de los cónyuges y a la generación y educación de la prole, fue elevada por Cristo Nuestro Señor a la dignidad de sacramento entre bautizados». (*CIC* 1601)

Y también detalla lo que es específicamente cristiano en el matrimonio cristiano:

> «El amor conyugal comporta una totalidad en la que entran todos los elementos de la persona – reclamo del cuerpo y del instinto, fuerza del sentimiento y de la afectividad, aspiración del espíritu y de la voluntad – ; mira una unidad profundamente personal que, más allá de la unión en una sola carne, conduce a no tener más que un corazón y un alma; exige la indisolubilidad y la fidelidad de la donación recíproca definitiva; y se abre a fecundidad. En una palabra: se trata de características normales de todo amor conyugal natural, pero con un significado nuevo que no sólo las purifica y consolida, sino las eleva hasta el punto de hacer de ellas la expresión de valores propiamente cristianos». (*CIC* 1643)

La Iglesia simplemente se hace eco de su Fundador.

> « Por esto dejará el hombre a su padre y a su madre, y se unirá a su mujer, y los dos serán una sola carne; así que no son ya más dos, sino uno. Por tanto, lo que Dios juntó, no lo separe el hombre». (Marcos 10:7-9)

Todo esto es para decir que la descripción laboral para un matrimonio en la Iglesia debe ser diferente a la de los otros matrimonios, precisamente porque la vida individual de un cristiano debe ser diferente a la de las otras personas. Se nos llama desde lo más alto y se nos pide más. Por eso es importante que, a medida que ustedes dividen las tareas del hogar, tengan presente que si lo quieren hacer como cristianos deben estar seguros de lo que significa ser cristianos en matrimonio.

Las descripciones de los quehaceres matrimoniales

Antes de comenzar, piensen en su relación como si fuera una organización que los ubica en puestos ejecutivos. El título que tienen no importa mucho, pero lo que sí importa es que ambos apuesten lo mismo y que compartan las responsabilidades y la autoridad de la misma manera.

Ahora, miren los objetivos que establecieron en el Capítulo 4 y úsenlos como marco para listar todas las tareas y responsabi-lidades que deberán cubrir para funcionar bien, tanto en el hogar como en la pareja.

Pueden escribir las descripciones juntos o separados. A veces sirve escribirlas solos primero y luego compartirlas con la pareja. Al ver las disparidades en la manera de describir los quehaceres, se puede hablar sobre las mismas hasta llegar a un acuerdo. Elijan aquello que funcione para ustedes como pareja: con los ejercicios que hicieron hasta ahora, probablemente ya entiendan mejor las dinámicas que tienden a dominar en la relación.

Luego escriban, individualmente, un resumen de los papeles que tendrá cada uno. Esto servirá como base para la sección de responsabilidades, que veremos más adelante. Ahora están listos para describir lo concreto de su vida juntos. Ya no se trata de pensar en ideas vastas y difíciles de combinar, sino que se trata de determinar los temas concretos que los afectan en su vida diaria.

Aquí hay una tabla que sirve como ejemplo para planear el mes. Da una idea de cómo anotar no solamente lo que hicieron para llevar la casa adelante, sino también el tiempo y el dinero que usaron (que son particularmente importantes cuando las tareas no se siguen al pie de la letra) y también los papeles de cada uno en la relación. Noten que estas tareas sirven como base para la discusión, el desafío y la compensación, cosas que serán tratadas en los próximos capítulos.

EJEMPLO – Tabla del planeamiento mensual de las tareas domésticas

Categoría/ Tarea	A	B	C	D	E	F	G	H	I	J
	De él	De ella	De los dos	Rotantes	Negociables	Externo	De nadie	No se sabe	Nro. de horas	Costo estimado
HIJOS										
cambiar pañales			✓						2	$35

	De él	De ella	De los dos	Rotantes	Negociab	Externo	De nadie	No se sabe	Nro. de horas	Costo estimado
asegurarse que los hijos hagan sus tareas	✓									
QUEHACERES										
mantener computadoras, impresoras								✓	3	$20
limpiar baños					✓				4	$50
DILIGENCIAS										
tintorería	✓								1	$125
farmacia						✓				$35
COMIDA										
supermercado					✓				2	$500

cocinar				✓					**9**	**$100**
FINANZAS										
pagar cuentas		✓							**2**	**n/a**
banco				✓					**1**	**n/a**
MASCOTAS										
veterinaria						✓			**1**	**$10**
baño del perro			✓						**1**	**n/a**
MANEJO DE LA FAMILIA										
planear viajes y vacaciones			✓						**1**	**n/a**
mantener el calendario familiar								✓	**1**	**n/a**

Delegar, contratar y asignar prioridad

Las descripciones laborales cambian con el tiempo y a medida que las situaciones se desenvuelven. El gerente de un restaurante puede tener siempre el mismo puesto, pero sus tareas cambian radicalmente cuando sus empleados pasan de ser cinco a ser quince. Lo mismo ocurre en el matrimonio: uno puede estar a cargo de los carros, del césped y de sacar la nieve, pero una mudanza de un apartamento – donde casi todo eso está hecho por alguien más – a una casa, las cosas cambian y uno es ahora directamente responsable de todo eso. A veces, el cambio es temporario, por ejemplo cuando alguien tiene cirugía y no puede realizar las tareas asignadas durante varias semanas. Otras veces, el cambio es más permanente, por ejemplo cuando uno de los esposos comienza a tener un problema crónico. Lo importante es ingeniárselas para hacer la tarea que el otro no podrá hacer, y hasta ver si es necesario hacerla o no.

Más allá de simplemente delegar las tareas, tal vez sea necesario contratar a alguien para que las haga. Muchas compañías contratan otras empresas para realizar las tareas que no son críticas, y está bien hacer lo mismo en el matrimonio. La tecnología nos facilita la vida. Los recursos en Internet, las aplicaciones en los teléfonos y los medios sociales han puesto a nuestro alcance una serie de bienes y servicios que pueden beneficiar a la pareja, especialmente cuando no se ponen de acuerdo en quién debe hacer algo.

Tal vez ya estén haciendo algunas de estas cosas, como la parte bancaria o el pago de cuentas. Pero también otras merecen ser consideradas: cocineros, paseadores de perros, niñeras, obreros. Hacer uso de esos servicios no debe ser visto como un gasto frívolo ya que, a fin de cuentas, puede resultar en el mayor bienestar de la pareja. Lo importante es que las elecciones sean hechas teniendo en cuenta la relación, la capacidad para crecer juntos en la virtud y la santidad, y el logro de la Visión de su matrimonio.

Con ese fin, a veces estas conversaciones ocurren con demasiadas expectativas. Pensar objetivamente es importante para que la relación se mantenga vital, creativa y saludable. Hay algunas cosas en la vida que probablemente no sean negociables, como las finanzas, los impuestos, el mantenimiento de la propiedad, el cuidado personal, la higiene, la limpieza y seguridad de la casa, la alimentación de los hijos, etcétera. Pero a medida que envejezcan y la relación crezca y cambie, algunas de estas categorías cambiarán también. Lo que esto quiere decir es que las tareas cambian y también las descripciones. Llevar las descripciones al retiro anual (del que hablaremos más adelante) es una buena manera de mantenerse al día con los cambios en la relación. El adaptarse según sea necesario es otra señal de cuánto les importa su relación.

Conclusión

Llevar adelante un matrimonio moderno es difícil y habrá momentos de desilución. Pero no hay necesidad de que la tarea de negociar el matrimonio y la vida familiar sea más difícil de lo que es al no ser claros entre ustedes con respecto a lo que esperan del otro, o al tratar de leerle la mente al otro cada vez que parece querer algo. El matrimonio es más que eso. Es una realidad viviente, respirante, que está llena de pasión, amor, esperanza, aventura y sueños que aún no han sido soñados. Escribir las descripciones de las tareas a realizar, con expectativas claras, revisándolas periódicamente, desafiándolas consistentemente y mejorándolas, es la manera de proteger el futuro lleno de espe-ranza y volverlo realidad en el presente.

Resumen

- ¿Cómo es una buena descripción de una tarea matrimonial?
- ¿Qué expectativas son razonables para la pareja? ¿Cómo piensan lidiar con el conflicto que pueda surgir al no llegar a las expectativas establecidas?
- ¿Cómo puede una descripción laboral en conjunto con la Visión convertirse en el marco dentro del cual la pareja se hace responsable de los valores del matrimonio?
- La delegación, el contrato y la asignación de prioridades, ¿cómo pueden ayudar a proteger lo que es verdaderamente importante en el matrimonio?
- ¿Cómo impacta hoy su relación el tener expectativas claras sobre su matrimonio?

CAPÍTULO 7:
Compensación y beneficios

«Y cuando estábamos con vosotros os ordenábamos esto: que si alguno no quiere trabajar, tampoco coma.»
– 2 Tesalonicenses 3:10

«Sabes que estás camino al éxito cuando harías tu trabajo aun sin que te paguen.»
– Oprah Winfrey

Como en toda organización, solventar las operaciones es sólo parte de la historia. También hay que tener en cuenta a los empleados. Es decir, la compañía necesita dejar claro lo que espera del empleado, y viceversa. ¿Cuál es la conexión de esto con el matrimonio? Esto: necesitan tener bien en claro por qué están en esta relación y qué los motiva a lograr la Visión. En otras palabras, ¿cómo se compensan y benefician mutuamente en su relación para hacer crecer el amor que existe entre ustedes?

Este capítulo trata de las motivaciones: qué te motiva, qué motiva a tu pareja, cómo pueden obrar juntos para motivarse mutuamente en los momentos difíciles del matrimonio. Para que esto sea efectivo, deberán hacer un gran esfuerzo y, como siempre, deberán tener una gran confianza en su pareja.

Objetivos:

- Entender la importancia de cobrar: emocionalmente, personalmente y espiritualmente.
- Nombrar y reclamar aquellos beneficios más importantes para cada uno.
- Identificar los beneficios que requieren atención especial o que no son fáciles de llevar a cabo.
- Armar un plan para ayudar a tu pareja en las situaciones difíciles o estresantes.

La importancia de cobrar

El seguir un modelo empresarial para hablar del matrimonio puede hacer que sea más fácil (especialmente para los hombres) tener una conversación abierta y honesta sobre cómo incrementar el nivel de éxito en el matrimonio. En un empleo nos pagan; pero, ¿cómo se paga en un matrimonio?

Si has crecido en un hogar positivo y cariñoso, donde tu papá trabajaba y tu mamá se quedaba en la casa para cuidarla y cuidar a sus hijos, te verás motivado a recrear esa misma realidad para tu propia familia, aún cuando conscientemente no lo creas. Del mismo modo, si vienes de una familia disfuncional, abusiva, con problemas de alcoholismo, entonces buscarás que tu vida sea lo más distinta posible a eso.

Finalmente, reconoce que diferentes cosas motivan a diferentes personas, y que tal vez no sean ciertos los estereotipos populares, los perfiles de género y hasta tu propia impresión de tu esposa antes de que se casaran. Debes descubrir qué es lo que funciona mejor para ustedes, y eso es imposible si no lo discuten juntos.

Cheques emocionales

En el mundo de los negocios, el salario de una persona es determinado normalmente según el valor de su contribución a las ganancias de la empresa. En el mundo del matrimonio, las situación no es tan diferente. Ustedes le dan valor a la relación a partir de sus quehaceres, de sus capacidades y de sus aportes al hogar. Por esta razón, puede ser muy útil analizar el valor monetario relativo que le brindan a la relación.

Comiencen con alguna descripción laboral que hicieron en el capítulo anterior y miren las tareas por las que se hicieron responsables. Anoten cuánto tiempo pasaron haciendo esas tareas y el monto estimado de dinero que habría costado pagarle a alguien más por hacerla.

No es necesario ser exacto aquí, pero sí es importante ser lo más razonable posible en la evaluación y mostrarlo en la Tabla de compensación que se encuentra más adelante. A menos que estén pensando en revisar las descripciones laborales, no importa si cuidar el pasto cuesta $20 o $30. Lo que importa es que vean juntos que los dos contribuyen y se benefician de la relación. Esto es verdad para todo, por lo cual el que se queda en la casa y cuida a los hijos debe ser tan valorado como el que trabaja fuera del hogar y gana más de $100.000, especialmente considerando todo lo que costaría contratar los servicios que brinda.

Compensación en la relacion – Tabla de cálculo		
EJEMPLOS		
Tarea	Costo menual	Costo anual
Limpieza del hogar – servicio de limpieza	$100 - $200	$1,200 - $2,400
Chauffeur – familia y niños	$400 - $600	$4,800 - $7.200
Cuiado y mantenimiento automottiz	$50 - $200	$600 - $2,400
Asistenia personal – mantener horarios, hacer diligenias, omprar regalos, planear eventos, etc.	$1,000 - $2,000	$1,200 - $2,400
Niñera – guardería	$1,600 - $2,000	$19,200 - $24,000
Jardinería	$90 - $120	$1,080 - $1,440
Contaduría – finanzas personales, transciones banccarías, software, financero, impuestos	$100 - $300	$1,200 - $3,600

Desde luego, esto le podrá parecer extraño a cualquiera en el mundo exterior al hogar. No les pagamos salarios tan altos a las niñeras, a las empleadas domésticas o a las cocineras, pero deberíamos pagarles mucho más de los que les pagamos si valoráramos el cuidado de nuestro hogar y de nuestros niños como debiéramos. El punto es que, así como en los negocios, hay ciertos valores que no pueden ser cuantificados fácilmente. Una persona que trabaja desde el hogar y gana la mitad de lo que gana su pareja, que tiene un trabajo de tiempo completo, debe ser valorada por su creatividad, por la manera cómo rehabilita la casa y por cómo les enseña a sus hijos.

Haz con tu pareja una tabla de la Compensación en la Relación, tal como la ejemplificada, para anotar sus contribuciones. Esto resultará en tres cosas: primero, les será fácil ver cuánto contribuye cada uno a la relación; segundo, les dará una idea del trabajo que hacen para llevar la relación adelante, aun en los momentos difíciles; tercero, les hará sentir una sensación de logro: miren cuánto han hecho simplemente siguiendo el plan. Imagínense cuánto más podrían lograr comprometiéndose aún más profundamente.

Paquete de beneficios

Además de los cheques emocionales, deben explorar sus paquetes de beneficios. En el trabajo, los beneficios pueden ser de salud o dentales, de jubilación, de oportunidades educacionales, de viajes, de reembolsos, vehiculares, de ausencia por maternidad, de horas flexibles, de poder trabajar desde el hogar. Aparte de estos beneficios formales, el trabajo también le puede dar a uno una sensación de ser valioso, de formar parte de un grupo de colegas entre los cuales hay gran camaradería, de poder crecer personal y profesionalmente.

Lo mismo debe ocurrir en el matrimonio. Los esposos se deben sentir bien en el mismo, deben conocerse mejor uno a otro, deben estar convencidos de que se están mejorando mutuamente al entregarse de lleno a la relación. Los beneficios, por supuesto, son diferentes. Tal vez el mayor beneficio sea simplemente el conocer y experimentar el amor incondicional que se tienen. Una vida sexual satisfactoria también es un beneficio importante para el matrimonio. Otros beneficios son la compañía diaria, alguien con quien desahogarse, alguien con quien compartir los proyectos, alguien a quien confiarle las esperanzas y los sueños. Algunas cosas pueden ser específicas a su pareja: alguien con quien esquiar, con quien debatir, con quien viajar, etcétera. Sin duda, en este contexto, uno de los beneficios principales – que debe ser parte del «cheque» general que reciben y que es el mayor propósito de su relación – es contar con alguien que los apoye en su fe. Si todo funciona bien, también conocerán mejor a Dios y lo amarán más gracias a su relación de pareja.

Por esta razón, habiendo hecho la tabla de la Compensación en la Relación, tal vez les sirva de ayuda anotar también estos beneficios específicos. Pueden agruparlos bajo la categoría: «Beneficios de estar casado contigo» , y listarlos como: ser un padre para mis hijos, tener una vida llena de viajes y aventuras, disfrutar de la comida refinada, tener un ingreso y un futuro financieramente seguros, tener una jubilación bien planeada, etc. A medida que listan estos componentes, marquen aquellos que más valoran. Esto los ayudará a entender qué motiva más a cada uno, especialmente al atravesar momentos difíciles.

Como el paquete de beneficios es tan personal, tiene sentido que cada uno haga el suyo individualmente y que después los discutan juntos y los combinen. En la discusión, piensen cualquier negociación de la misma manera que si estuvieran negociando al aceptar un trabajo. ¿Cómo articularán los beneficios que más desean y que les permitirán hacer un mejor trabajo? Por ejemplo, una membrecía en el gimnasio de la empresa podrá ser un buen beneficio, pero si uno no lo usa – y uno sabe de entrada que no lo va a usar – entonces no es un beneficio que uno va a considerar importante. Es lo mismo en el matrimonio: si es importante para ti pasar tiempo solo (y éste es el caso para la mayoría de las personas introvertidas), entonces asegúrate de que tu pareja entienda por qué este beneficio ocupa un puesto de mayor prioridad que, por ejemplo, tener relaciones sexuales dos veces por semana o que ir regularmente a la casa de tus suegros. En general, esto principios son buenos para tener en cuenta:

- ¿Cuál sería tu manera preferida de que se te reconozca o se te compense por tu contribución a la relación? ¿Cuál es tu cheque emocional preferido? ¿En qué formas estarías dispuesto a ofrecerlo su cheque a tu pareja?

- ¿Cómo te gusta que tu pareja te demuestre su amor por ti? ¿Te gustan las sorpresas? ¿Los regalos? ¿Los viajes espontáneos? ¿Que haga tus quehaceres por ti? ¿Cómo prefieres que te pregunten antes de que hagan algo?
- ¿Cómo prefieres celebrar los eventos especiales (cumpleaños, aniversarios, fiestas, etc.)? ¿Tienes reglas especiales para los regalos, para preparar comidas, o para invitar gente?
- ¿Cuáles son tus preferencias en cuanto al afecto físico (en público y en privado)?

- Cuando haces algo que beneficia notablemente la relación, ¿cómo quieres que se te reconozca?
- Cuando estás estresado, bajo presión o incómodo por alguna razón, ¿cómo quieres que tu pareja te exprese su apoyo?

Estas preguntas los ayudarán a enmarcar un paquete de beneficios más formal. Contrariamente a otros documentos, éste debe ser ágil: necesitará (y exigirá) cambios a medida que pasa el tiempo. Una vez completado, debe ser revisado periódicamente (por ejemplo, una o dos veces al año) para asegurarse de que las expectativas siguen claras.

Contratos y acuerdos

El objetivo de estas actividades concretas en *La misión del amor* – las descripciones de los quehaceres, los cheques emocionales, la compensación, los beneficios, etc – es llevarlos a la última actividad, que es escribir el «Acuerdo de la Relación». La idea no es llegar a un acuerdo prenupcial o postnupcial contractual y legaloide – de hecho, la Iglesia considera que esos documentos son problemáticos porque presumen que el matrimonio es rompible – , sino que se trata de llegar a una especie de resumen escrito de las expectativas generales que ambos tienen con respecto a su matrimonio. Es una manera de poner en términos concretos exactamente lo que aceptan al decir: «Sí, acepto», aun a través de las exigencias y del crecimiento de su vida juntos. El propósito principal de este documento es de proveerlos de una herramienta que les permita hacerse responsable mutuamente de su Visión.

Los acuerdos son como los contratos, pero van aún más allá. Establecen obligaciones mutuas, pero más que ser legales son personales y espirituales. El primer acuerdo que Dios tuvo fue con Adán y la humanidad en general, a través del cual los humanos debían multiplicarse (Dios nos dio la orden de hacer el amor… y después dicen que la Iglesia odia el sexo), debían cuidar la creación y no debían comer del Árbol del Conocimiento del Bien y el Mal. El matrimonio, como sacramento testimonial del amor de Dios por nosotros, es también un acuerdo.

Entonces, si quieren profundizar su compromiso matrimonial y aumentar su intimidad emocional, reúnan todo el material que han producido hasta ahora – la Visión, el Escudo de Armas, el Lema de la Relación, la Descripción de los Quehaceres y los Planes de Compensación y Beneficios – y escriban su Acuerdo de la Relación. Incluyan cosas tales como una lista de sus necesidades y deseos, sus expectativas, esperanzas e ideales para las facetas particulares de su relación. Un posible formato es el siguiente:

Acuerdo de la Relación

My nombre:
El nombre de mi esposo/a:

Una declaración sobre la naturaleza, el propósito y la visión de su matrimonio.

Dinero – Una declaración general de su filosofía financiera y de los principios que guían su manera de gastar el dinero, de donar a la Iglesia y a obras de caridad.

Sexo – Una articulación sobre la función del sexo en su pareja y cómo lo viven ustedes. Sean tan claros como sea necesario en cuanto a lo que no es aceptable en términos sexuales. Sean sensibles hacia los deseos de su pareja.

Carreras – Una articulación de las razones por las cuales cada uno trabaja. ¿Es por diner? ¿Es por satisfacción personal? ¿Para lograr algo específico? Relacionen esto al estado financiero y personal de la familia. ¿Van a trabajar los dos? ¿Por qué sí o por qué no? ¿Cómo decidirán si una persona debe dejar de trabajar y por cuánto tiempo? ¿Cómo tomarán decisiones sobre mudarse o alterar radicalmente sus estilos de vida en favor de una carrera? ¿Cómo tomarán decisiones sobre si es necesario cambiar de carrera?

Hijos – ¿Cuál es su filosofía en cuanto a tener hijos y a criarlos? ¿Cómo decidirán cuándo/si van a tener hijos? ¿Qué deberes y responsabilidades tendrá cada uno en relación a sus hijos? ¿Cómo tomarán decisiones relacionadas a sus escuelas, sus actividades extracurriculares y su disciplina?

Familias – ¿Cuál es su actitud respecto de la familia de cada uno? ¿Cómo coordinarán las fiestas, los eventos especiales y otras visitas? ¿Qué papel tendrán las tradiciones étnicas y culturales en su vida familiar?

Residencia – ¿Dónde vivirán? ¿Cómo decidirán qué tipo de vivienda tendrán? ¿Quién será responsable de cuáles quehaceres? ¿Cómo tomarán decisiones sobre los cambios que se les deban hacer a esas responsabilidades?

Amigos – ¿Qué piensan de sus amigos previos a su relación? ¿Qué piensan de los amigos que comparten como pareja? ¿Qué tipo de límites o expectativas tienen hacia nuevos amigos y su participación en su vida de pareja? ¿Cambian las reglas si los amigos en cuestión son del sexo opuesto? ¿Cuáles son las reglas en cuanto a novio o novias pasados?

Recreación – ¿Cómo compartirán los momentos de recreación? ¿Cómo va cada uno a mantener su propia recreación? ¿Va a tener tiempo cada uno para estar solamente con sus amigas o amigos? ¿Cómo van a comunicarse sus necesidades de divertirse solos sin alienar a su pareja?

Religión – ¿Comparten la misma fe? Y, si ese no es el caso, ¿cómo negocian sus distintas fes? ¿Cómo se aseguran de no interferir en la práctica de fe del otro? ¿En qué fe van a criar a sus hijos? ¿Cómo van a asegurarse de pasarles la fe? ¿Cuáles son las expectativas respecto de ir a Misa, de rezar antes de cada comida, y de otros momentos especiales? ¿Cómo pondrán su fe en acción? ¿En qué tipos de oportunidades de voluntariado y de caridad van a participar juntos o separados? ¿De qué manera se van a comprometer a apoyarse espiritualmente y desafiarse de manera según sea apropiado? ¿Cómo van a decidir juntos cuánto contribuir de su tiempo, talento y dinero?

Conflictos generales – ¿Qué tipo de técnicas para resolver problemas se comprometen a usar cuando las cosas están mal? ¿Tienen pensado tomarse un tiempo para calmarse después de cada discusión antes de volver a discutir (esto tal vez no sea necesario, pero en algunos casos puede salvar matrimonios)? ¿Estarían de acuerdo, en principio, en ir a sesiones de terapia de pareja? ¿Con quién estás cómodo que hable tu pareja sobre tu matrimonio? ¿Por qué? ¿A qué se comprometerán ambos a hacer para minimizar los conflictos innecesarios y negociar con resultados aquellos conflictos inevitables?

Los votos matrimoniales en sí establecen un acuerdo, la donación de uno mismo a su pareja. La limitación de los votos matrimoniales es que las características específicas de comportamiento de la relación quedan sin discutir y, en consecuencia, sin claridad, lo cual lleva a que la pareja coexista durante un largo tiempo sin saber (o confundida) sobre las expectativas de cada uno. Este acuerdo los ayudará a dejar en claro todas las expectativas, temores, esperanzas, preocupaciones, dudas, alegrías y sueños para su matrimonio. Solamente siendo completamente abiertos y honestos es que van a poder ayudarse a crecer en la santidad y, así, lograr la Visión de su matrimonio.

Resumen

- ¿Qué motiva a tu pareja? ¿Cómo puedes estar más atento a sus necesidades? ¿Hay maneras, en los momentos cumbres, en las que puedas motivarla mejor?
- ¿Qué beneficios obtienes de tu relación? ¿Sientes gratitud hacia los mismos? ¿Le agradeces a tu pareja?
- ¿Cuál es la diferencia entre un contrato y un acuerdo? ¿Por qué es importante para las parejas cristianas en el matrimonio sacramental que vean su relación principalmente desde la perspectiva de un acuerdo?

LIBRO III: ¿Por qué?

En la primera sección de este libro propusimos una visión básica del matrimonio como lo entiende la Iglesia. En la segunda, mostramos cómo es un matrimonio cristiano saludable. Ahora, en la tercera y última sección, queremos ofrecerles herramientas que ayudarán a recordarles, como pareja, la importancia de todo este trabajo.

Lo que queremos hacer aquí es explicitar lo que quedó implícito a través de la primera parte del libro. Casi todos nosotros, en nuestras relaciones, tenemos toda clase de suposiciones acerca de por qué hacemos lo que hacemos, y de por qué los demás hace lo que hacen. Pero si verdaderamente tenemos intención como cristianos en nuestros matrimonios, entonces estamos llamados explícitamente a ser claros en lo que hacemos juntos, como pareja. Por eso hicimos la Visión y la Marca, por eso son esenciales las descripciones de quehaceres con expectativas claras, y por eso es tan importante esforzarse por alcanzar la serenidad financiera. Vale la pena proteger el amor que se tienen, y todas las herramientas y recursos que les hemos dado tienen la intención de permitirles hacer precisamente eso.

Lo que sigue a continuación es una manera de recordarles lo que es posible y el porqué ustedes creyeron que todo era posible con el amor de sus vidas. Combina la gran teología del primer libro con la sabiduría práctica del segundo, para esbozar La Misión del Amor, un plan abierto y honesto de cómo vivir la vida juntos como cristianos casados. Pero este «recordatorio» no es menos importante que las tareas que vinieron antes de él. El solo hecho de tener un propósito para el matrimonio y un plan para realizar ese propósito no implica que no habrá cansancio o dificultad en el camino; incluso Cristo necesitó la ayuda de Simón para cargar Su cruz. Ustedes van a necesitar tiempo para refrescarse, realinearse, e incluso sanarse, en este viaje conjunto. Por supuesto, el valor de lo que sigue depende de la habilidad e intención que ustedes tengan de hacerlo propio. Eso es lo que queremos ayudarles a hacer, y lo que esperamos que harán el uno por el otro.

Capítulo 8:
Personas sacramentales

«Quiso, sin embargo, Dios santificar y salvar a los hombres no individualmente y aislados entre sí, sino constituirlos en un pueblo que le conociera en la verdad y le sirviera santamente.»
– Concilio Vaticano II, Lumen Gentium, 9

Una de las diferencias más importantes entre la Iglesia y cualquier otra organización, además de profesar una serie de valores o ideales comunes, es que según la Iglesia las personas cambian para siempre cuando se inician en ella.

Por ejemplo, «el santo Bautismo es el fundamento de toda la vida cristiana, el pórtico de la vida en el espíritu (*vitae spiritualis ianua*) y la puerta que abre el acceso a los otros sacramentos. Por el Bautismo somos liberados del pecado y regenerados como hijos de Dios, llegamos a ser miembros de Cristo y somos incorporados a la Iglesia y hechos partícipes de su misión» (CIC, 1213). Imprime en el alma una señal espiritual indeleble, el carácter que consagra a la persona bautizada para la liturgia cristiana, y literalmente hace de la persona, incluso de un bebé pequeño, una nueva creación. La vida entera de esa persona es ahora diferente, incluso si después eligen rechazar el regalo que han recibido. Así pues, la gente que celebra sacramentos, incluido el matrimonio, son desde el principio gente sacramental.

Objetivos

- Articular la diferencia entre la membresía en la Iglesia y la membresía en cualquier otra organización. ¿En qué se diferencian, entonces, los matrimonios entre cristianos de los matrimonios de otras gentes?
- Dar ejemplos de gracia en la vida de la pareja cristiana, y especialmente de las maneras naturales en que nuestra vida familiar sigue a los sacramentos.

- Explicar el papel de la actividad en la parroquia y de la recepción regular de los sacramentos en la vida de las parejas cristianas.

Los miembros de cualquier organización puramente humana pueden básicamente entrar y salir de ellas cuando quieren. Incluso en otros grupos que también tienen ritos de iniciación, como los Masones, no profesan ser un cambio fundamental del alma de la persona que entra. Pero eso es exactamente lo que Iglesia pretende hacer.

El matrimonio entre personas bautizadas es sacramental, y es una continuación de aquella iniciación en la vida de Cristo. A diferencia de un matrimonio estrictamente legal o natural, un matrimonio sacramental no es una institución humana en la que las personas puedan entrar o dejar a placer. Como Cristo les dice a los fariseos, «Lo que Dios ha unido, que no lo separe el hombre» (Marcos 10:9). La gente sacramental en matrimonio se ha convertido en un canal de la gracia de Dios, de la vida divina misma, tanto el uno para el otro como para el mundo. Por su vocación, se han convertido en una «Iglesia doméstica» con una misión no sólo para su propia familia, sino, en un nivel mucho más alto, para la participación y avance del Reino de Dios aquí en la Tierra como parte de la Iglesia universal. La salud espiritual de la Iglesia Católica en su totalidad depende del Espíritu Santo, y a su Su obra a través de todo miembro bautizado se le ha confiado la misma misión; tenemos que ser tan santos como queremos que lo sea la Iglesia, para que ésta florezca verdaderamente.

Sintonizándonos

Los sacramentos «hacen presentes la gracia que simbolizan». «Gracia» es una palabra algo curiosa. Se parece mucho a «gravedad» : la gente la usa mucho pero no siempre está claro qué quiere decir con ella, y con frecuencia la misma gente no lo sabe. El *Catecismo* dice:

> La gracia es, ante todo y principalmente, el don del Espíritu que nos justifica y nos santifica. Pero la gracia comprende también los dones que el Espíritu Santo nos concede para asociarnos a su obra, para hacernos capaces de colaborar en la salvación de

los otros y en el crecimiento del Cuerpo de Cristo, que es la Iglesia. (CIC 2003)

El Espíritu Santo es lo que nos hace capaces de participar del don de la vida de Dios. Es por eso que en la bendición nupcial ---aquella bendición especial que recibieron del sacerdote el día de su boda--- hay una epiclesis, o llamada explícita del Espíritu Santo. Así pues, parte de lo que distingue a un matrimonio cristiano es lo que significa, el «algo más» que representa. Y aún más es el medio que emplea para hacerlo, pues el Espíritu Santo de Dios Mismo vive en el corazón de un matrimonio cristiano, es el fundamento firme de la familia cristiana, y lo que nos permite lograr nuestra misión conjunta.

Entonces, ¿cómo es esto en la vida real? Hay tres maneras principales en las que el Espíritu Santo nos ayuda a actuar como canales para la gracia en nuestro matrimonio. Primero, el sacramento del matrimonio es la fuente específica y el medio original de la santificación para las parejas casadas y las familias cristianas. Retoma y hace específica la gracia santificadora del Bautismo. En virtud del misterio de la muerte y resurrección de Cristo, de la cual los cónyuges son hechos parte de una nueva manera por el matrimonio, el amor conyugal se purifica y se hace santo: «El Señor se ha dignado sanar este amor, perfeccionarlo y elevarlo con el don especial de la gracia y la caridad» (Juan Pablo II, *Familiaris Consortio*, 56).

Así que lo primero es la manera en que el Espíritu nos hace capaces de vivir nuestra vida diaria juntos. ¿Se puede vivir juntos en relativa paz y felicidad sin el Espíritu Santo? Sí, la mayoría de nuestros amigos seculares lo hacen todo el tiempo. Pero el Espíritu Santo nos permite hacerlo de una manera preeminente, y otorga gracias especiales con el propósito específico de ayudarnos a perfeccionarnos el uno al otro. Eso es lo que queremos decir al decir cosas como «tú me haces querer ser un hombre (o una mujer) mejor».

La segunda ayuda que nos da el Espíritu tiene que ver con nuestros hijos. La responsabilidad de la paternidad cristiana es una responsabilidad seria. Además de tener que cuidar de las necesidades materiales de los niños, de su socialización, de su educación, y de su preparación para el mundo en general, los padres cristianos también tienen la responsabilidad de pasarles su Fe a sus hijos.

> El matrimonio y la familia cristiana edifican la Iglesia; en efecto, dentro de la familia la persona humana no sólo es engendrada y progresivamente introducida, mediante la educación, en la comunidad humana, sino que mediante la regeneración por el bautismo y la educación en la fe, es introducida también en la familia de Dios, que es la Iglesia. (Juan Pablo II, *Familiaris Consortio*, 15)

Los padres son los primeros formadores de sus hijos en la Fe. Por palabra y por ejemplo los padres cristianos pasan su Fe a sus hijos. Esto no significa que todo cristiano deba ser un teólogo aficionado, o que toda actividad con los hijos tenga de venir de una clase de catequesis, pero sí significa que ustedes deberán conocer su Fe lo suficientemente bien y pasarla de una manera clara, consistente y apropiada. Para muchos, tal vez, esto implicará refrescar la propia memoria de su Fe, ya sea porque su propia formación fue algo pobre o porque estuvieron alejados de la Fe por un tiempo. También quiere decir que tenemos la seria obligación de, primero, bautizar a nuestros hijos, y segundo de asegurar que aprendan la catequesis y reciban los otros sacramentos apropiadamente. Los padres son responsables de la educación y formación intelectuales, espirituales, morales y psicológicas de sus hijos. De particular importancia es la educación en la sexualidad humana. Esto no empieza sólo con la charla en la pubertad, sino ahora mismo, en la manera en que se relacionan ustedes el uno con el otro como hombre y mujer, mostrando a sus hijos cómo es un matrimonio saludable, santo y feliz.

El ejemplo es un componente muy importante de esta parte de la educación. No por convertirse en padres se convertirán en seres humanos perfectos. De hecho, si ustedes son como casi todo el mundo, se darán cuenta de lo *imperfectos* que son precisamente al ser las parejas y los padres de alguien. Al mismo tiempo, el ejemplo debe ser consistente con la palabra. Si estás intentando inculcar la honestidad en tus hijos pero al mismo tiempo haces trampa a la hora de pagar tus impuestos, cuando tus hijos se den cuenta van a sentirse dolidos y, en últimas, resentidos de que les impusiste un estándar que tú mismo no eres capaz de alcanzar. A medida que crezcan aprenderán a distinguir las fallas regulares y habituales de los problemas morales serios. «Mi papá tiene mal carácter» produce una impresión moral muy distinta de «Mi papá engaña a mi mamá» . Esto se cumple también con respecto a la Iglesia. No puedes mandar a tus hijos a la escuela católica y después esperar que la escuela sea la que «se ocupe» de la dimensión de la Fe de la vida de tu hijo. Hay pocas cosas más dañinas para la Iglesia que los padres que mandan a sus hijos a la escuela católica pero después no los llevan a Misa los domingos. Les manda signos mezclados a los hijos y los fuerza, a una edad demasiado tierna, a elegir entre el amor por sus padres y el amor por la Iglesia.

Es por eso que la tercera ayuda del Espíritu Santo para las parejas cristianas tiene que ver directamente con la Iglesia. Como el Santo Matrimonio toma su gracia de la suerte de toda gracia – la pasión, muerte, resurrección y ascensión de Jesús – , está llamado a llevarte en tu matrimonio a una relación más profunda con la Iglesia. Significa que ahora vayas a Misa con regularidad si hace un tiempo que no vas. Significa frecuentar el sacramento de la Penitencia o la Confesión con más regularidad, especialmente si eso no ha sido parte de tu vida hasta el momento. Significa suscribirte y pertenecer significativamente a la parroquia y participar de su vida: ir a un grupo de estudio de la Biblia, ayudar a servir a los pobres, ofrecer tu ayuda en el pícnic o enseñar catequesis. Significa ofrecer tus servicios a la Iglesia y utilizar tus dones, naturales y adquiridos, para llevar a cabo la obra de la Iglesia. Si eres un contador, ofrécete a estar en el concejo financiero. Si tienes talento musical, únete al coro o toca un instrumento en la Misa. El Espíritu Santo quiere ayudarte a transformar la sociedad, pero no espera que lo hagas solo por ti mismo, o incluso solo como pareja.

Sacramentos familiares

La Escritura usa muchas imágenes para hablar de la relación de Dios con Su pueblo. Él es el pastor nosotros las ovejas (Ezequiel 34:11-4; Salmo 80:1-10); el Señor de los ejércitos (1 Samuel 1:3); el sanador (Éxodo 15: 26). Él es alfarero y nosotros la arcilla (Isaías 64:8), el gran rey (Zefanias 3:15; Salmo 24:7). De todas las metáforas que describen esa relación, sin embargo, hay dos que dominan: el amor conyugal y la vida familiar.

En muchos pasajes a Dios se le llama el «esposo», con respecto a Israel su «esposa» , pero dos ejemplos importantes a considerar son el libro de Oseas y el Cantar de los Cantares (de Salomón). A Oseas se lo considera uno de los profetas «menores» . Su historia es muy poderosa. Dios le ordena casarse con una prostituta, lo cuál él hace, y ella pronto lo abandona para irse con otros hombres. Pero Oseas no se da por vencido. La encuentra y la trae de vuelta. Ésta era una imagen de la Israel del momento, pues la nación se estaba aliando con otros países y cayendo en la idolatría, yendo con otros hombres. Pero Oseas no se dio por vencido con Gomer (su esposa), y Dios tampoco se dio por vencido con Su pueblo.

El Cantar de los Cantares es tal vez el libro más poético de la Biblia. Ciertamente es el más erótico. Esencialmente es un canto de amor entre el rey (Salomón) y su esposa (Sheba). Es un libro muy bueno para que las parejas lean juntas. Tiene imágenes muy vivaces, y habla de la manera en que Dios cuida a su gente. A las parejas les ofrece una idea de cómo cuidarse entre sí.

Pero de la misma manera que las parejas humanas, el matrimonio de Dios e Israel, Cristo y Su Iglesia, en últimas da frutos. A Dios se le llama el «Padre» de Israel en el Antiguo Testamento, pero la dinámica familiar queda clara sólo con la llegada de Cristo. Él nos enseña a orar el «Padre Nuestro» (Mateo 6:9-13; Lucas 11:2-5); él identifica a sus discípulos como hermanos y hermanas y madres Suyas (Mateo 12:50); y a Jesús se le dice una y otra vez el «Hijo» en relación al padre. Toda la vida cristiana es un llegar a ser por la gracia (el don) lo que Jesús fue por naturaleza. Jesús es Dios el Hijo desde toda la eternidad, nunca fue no-Dios, y siempre ha estado en perfecta comunión con el Padre. Su obra en la tierra nos permitió participar de esa relación, de manera que la Iglesia – el Cuerpo de Cristo – es ahora la casa de Dios en la tierra, la familia humana de Dios.

El resultado de todo esto es doble: primero, nos da un sentido de cómo deben actuar nuestras familias; segundo, reafirma el hecho de que precisamente en nuestra vida diara conjunto venimos a encontrar a

Dios. La familia es una realidad sacramental; es el lugar donde con mayor frecuencia encontramos la gracia de Dios.

> En el matrimonio y en la familia se constituye un conjunto de relaciones interpersonales – relación conyugal, paternidad-maternidad, filiación, fraternidad – mediante las cuales toda persona humana queda introducida en la «familia humana» y en la «familia de Dios» , que es la Iglesia.
>
> El matrimonio y la familia cristiana edifican la Iglesia; en efecto, dentro de la familia la persona humana no sólo es engendrada y progresivamente introducida, mediante la educación, en la comunidad humana, sino que mediante la regeneración por el bautismo y la educación en la fe, es introducida también en la familia de Dios, que es la Iglesia. (Juan Pablo II, *Familiaris Consortio*, 15)

Esto significa que la familia es una «escuela de caridad» y una «casa de formación» en la espiritualidad cristiana. A sus hijos les enseñarán no sólo cómo ser un buen hombre o una buena mujer, sino más fundamentalmente cómo ser un buen cristiano. No es el cura en el púlpito el que principalmente enseña estas lecciones, sino la mamá y el papá al otro lado de la mesa de la cocina, la abuela en la sala y el tío en una caminata. Nuestras familias son «iglesias domésticas» en las que, como en nuestra parroquia, alabamos a Dios, rogamos por el mundo, ofrecemos y recibimos perdón y reconciliación, atendemos a los enfermos, cuidamos a los moribundos, criamos a los jóvenes, and ofrecemos sacrificios.

> La familia cristiana constituye una revelación y actuación específica de la comunión eclesial, y por esta razón debe ser llamada «Iglesia doméstica». (*Familiaris Consortio*, 58)
>
> Todos los miembros de la familia, cada uno según su propio don, tienen la gracia y la responsabilidad de construir, día a día, la comunión de las personas, haciendo de la familia una «escuela de humanidad más completa y más rica» [59]: es lo que sucede con el cuidado y el amor hacia los pequeños, los enfermos y los ancianos; con el servicio recíproco de todos los

días, compartiendo los bienes, alegrías y sufrimientos. (Juan Pablo II, *Familiaris Consortio*, 21)

Así, la vida familiar está llena de sacramentos. El nacimiento de un nuevo hijo debe ser celebrado con alegría. La salida de la adolescencia y la llegada a la adultez también deben estar marcadas como ocasiones especiales y como el paso a las responsabilidades adultas. Cuando un miembro de la familia se enferma, debemos atenderlo; cuando un miembro de la familia se entristece, debemos consolarlo. Cuando llega el momento de que alguien se case, debemos recibir la ocasión con gran alegría. Cuando cometemos un pecado serio uno contra otro, debemos pedir perdón y debemos perdonar generosamente. Más fundamentalmente, debemos pasar tiempo juntos. Sería totalmente incomprensible llevar a los hijos a la Misa los domingos si durante la semana no se comparten las comidas con ellos. Marquen las ocasiones especiales: cumpleaños, aniversarios, festivos, fiestas, días de los santos patronos y otras ocasiones, con comida, juegos y oraciones especiales. Usen sus tradiciones, étnicas y nacionales, como recursos para dejarles como legado a sus hijos un sentido de identidad.

Más importante aún, asocien cada una de estas cosas con su experiencia real de la Iglesia. Vayan a Misa juntos en los días festivos y después vuelvan a casa y tengan un banquete . Cuando vayan a la confesión en familia, hagan algo después para celebrar la reconciliación: tomen helado, jueguen algún juego juntos, pasen tiempo con aquellos a quienes ofendieron. Hagan del domingo un día realmente especial. Aún si uno u otro tiene que trabajar los domingos, en las horas en que no trabajan hagan algo para recordarse y recordarle a sus hijos que es un día especial. La cena del domingo, y/u otras fiestas santas durante la semana, deberían ser las mejores de toda la semana. Coman en la mesa, con el televisor apagado, y pasando tiempo juntos. Estas cosas no sólo ayudarán a sus hijos a entender mejor los siete sacramentos de la fe, sino que se convertirán en sí mismas en ocasiones para la verdadera gracia y la conversión. También serán la base cotidiana sobre la cual ustedes se sentirán cada vez más convertidos a Cristo, y cada vez más cerca de cumplir su Misión.

Capítulo 8

La parroquia como familia

Es probable que las palabras «parroquia» e «iglesia» sean más o menos sinónimos para ti. Para la mayoría de los católicos lo son. Para ellos, la «parroquia» es como una conexión pequeña con la Iglesia grande, mundial, con «I» mayúscula. Eso no está mal para empezar, pero es importante que entendamos que la parroquia no es sólo una sociedad de gente con los mismos valores o una zona de comodidad ideológica. La Iglesia es como el alma de la humanidad, existe igualmente en cualquier parte en que haya seres humanos, pero se organiza sobre todo basada en la geografía. Las provincias de la Iglesia se llaman «diócesis» y las más importantes se llaman «arquidiócesis». El jefe de una diócesis es un obispo, y el de una arquidiócesis es un arzobispo. Cada diócesis y cada arquidiócesis a su vez se divide en parroquias, y el párroco es el jefe de cada parroquia local. Pero la parroquia no es simplemente el edificio de la iglesia: es el territorio y, más especialmente, la gente que vive en él. Por defecto, entonces, todos «pertenecemos» a la parroquia en la que vivimos, que usualmente es la iglesia católica más cercana a nosotros físicamente.

Hasta no hace mucho se tomaba todo esto del territorio de la parroquia muy seriamente. Ni siquiera era permitido cumplir la obligación del domingo en una parroquia vecina sin el permiso de ambos párrocos. A medida que el mundo se ha hecho más global, sin embargo – y ahora que la gente viaja más – , en general estas restricciones han sido relajadas. Uno puede «unirse» a una parroquia diferente de aquella en la que vive. Esto no está tan mal, ya que con frecuencia hay buenas razones para pertenecer a otra parroquia. Por ejemplo, hay gente que vive en un lugar durante la semana y se queda en otro lado por el fin de semana, o tal vez durante la semana es más fácil llegar a la iglesia que queda más cerca del trabajo que a la que queda cerca a la casa, o tal vez alguien lleva a su madre enferma a Misa todas las semanas, y termina por defecto sintiendo que ese lugar es «su parroquia». La desventaja de todo esto, sin embargo, es que la parroquia se convierte en un sitio donde uno se reafirma en todas sus ideas, sus prejuicios, y preconcepciones. La identidad de una parroquia puede empezar a girar alrededor de la ideología o los usos, y no alrededor de la Fe. Esto es terriblemente peligroso, tanto para las parroquias locales que caen en la tentación como para la Iglesia en general.

Una de las cosas más importantes que ustedes harán como pareja es elegir una parroquia. Puede que tengan que hacerlo varias veces, sobre todo si se mudan con frecuencia. La primera vez lo deberían hacer antes de casarse. Hubo una época en que era costumbre casarse en la parroquia de la novia, y esta costumbre todavía es perfectamente legítima, pero también es muy bueno para la nueva familia encontrar su propio hogar espiritual, que bien puede ser distinto a donde sus padres o los padres de su pareja viven. Empiecen con su parroquia local; puede que esa les quede bien. Puede ser que ustedes sean los únicos jóvenes en la congregación; eso podría ser más problemático. Puede que les guste la música, o no. Puede que les guste el sacerdote, o no. Ninguna de estas razones, por sí mismas, son legítimas para cambiar de parroquia. Si el sacerdote es, a nivel personal, un problema tal que te lleve a cambiar de parroquia, tal vez ha llegado el momento de escribirle una carta al obispo. Pero puede haber razones perfectamente buenas para no pertenecer a la parroquia más cercana. Si tienen hijos, o si planean tenerlos pronto, y quieren que sus hijos vayan a una escuela católica, entonces tal vez deban pertenecer a la parroquia de la escuela, independientemente de si es la más cercana a su casa o no. Si uno o el otro trabaja en esa parroquia o en esa escuela, esa es otra muy buena razón para pertenecer a una parroquia que no es donde viven. Cuando entre los dos disciernan esto, vuelvan a su Misión y piensen en cuál comunidad los apoyará mejor en todo esto. Pregúntenle al párroco o a otro sacerdote en el que confíen para que les ayude con esto. Para ellos será un placer: por eso es que ustedes lo llaman «Padre» .

Es interesante notar que la palabra «parroquia» viene de la palabra «parroquiano», y no al revés. La palabra viene del griego *paroikos*, de la que también desciende *paria*. Literalmente *paroikos* significa «al lado de la casa» o «marginado», pero generalmente se la traduce como «extranjero que vive entre nosotros». Así, la Iglesia nos recuerda que debemos estar en el mundo pero no ser del mundo. La parroquia es la casa de los extranjeros que viven aquí. Es el lugar adonde venimos a recordar quiénes somos de verdad, para qué somos y para dónde vamos. La pregunta final que hay que preguntarse para decidir a qué parroquia pertenecer es: ¿me apoya esta gente en mi esfuerzo por ser buen cónyuge y buen padre? ¿Me ayudan a crecer en la santidad, en el amor a Dios y en la fidelidad a su Iglesia? ¿Me están haciendo ser más y mejor cada día? Y si es así, has encontrado el lugar donde debes estar.

Todo en la familia

«La familia» es por supuesto un concepto bastante dinámico. Dependiendo del momento y el contexto, incluye no sólo a la familia inmediata, sino a toda una serie de relaciones secundarias que pueden o no vivir con alguien, compartiendo tiempo y espacio, siendo parientes por sangre, matrimonio o amistad. Esos otros miembros de tu «familia» son importantes tanto para ti como para tu cónyuge y tus hijos.

Hillary Clinton popularizó un proverbio africano: «se necesita una aldea para criar a un niño», un consejo bastante sabio. Los padres son ciertamente los principales pero no los únicos guardianes principales de sus hijos y formadores de su fe. Muchos tenemos heridas de infancia por nuestra relación con nuestros hermanos y hermanas. Hay que tener cuidado de no perpetuar los mismos errores, pero al mismo tiempo no cometer errores nuevos que vayan en la dirección opuesta.

Los abuelos tienen una especie de lugar de honor respecto de otros parientes. Hay cada vez más estudios que muestran la importancia de los abuelos en la vida de un niño. A medida que envejecen, nuestros padres nos muestran, a nosotros y a nuestros hijos, cómo envejecer. Nos enseñan sobre la decaída, la dignidad y la sabiduría que vienen con la edad. Si nuestros hijos no tienen acceso a sus abuelos, porque viven lejos, porque están distanciados o porque ya han muerto, hay que buscar activamente relaciones con otras personas ancianas. Estos «abuelos sustitutos» pueden tener una gran influencia no sólo en la vida de tus hijos sino en la tuya misma.

Algunas parroquias y los Centros Newman unen a las parejas jóvenes – especialmente las que viven fuera de su lugar natal – con una pareja más vieja, para que ésta provea consejo y buen ejemplo. Esto puede ser especialmente útil en la etapa temprana del matrimonio, cuando hay que negociar y renegociar límites, finanzas, sexo y religión. Puede ayudar muchísimo hablar de los problemas con alguien que ya haya pasado por allí.

Los tíos, tías y primos también son personajes importantes en la vida de la familia. Cuando por un trabajo u otra razón estés pensando mudarse a otra ciudad, tu relación con tu familia extendida debe ser parte de la decisión. Esto no quiere decir que todo el mundo tenga que vivir cerca de sus familiares (la Santa Familia se mudó a un país diferente, por ejemplo), pero si nuestras relaciones familiares no tienen un papel en la decisión, algo probablemente ha salido muy mal. Traten de incluir a sus familias lo más que puedan en esas ocasiones especiales mencionadas más arriba. No sólo es bueno para sus hijos, sino que ustedes y sus primos pueden resultar de gran ayuda mutua en la tarea de criar a los hijos.

Para casi todos nosotros, los amigos – sean de la infancia, de la universidad, del trabajo o de algún otro grupo – son una especie de pseudo-familia. Esto es especialmente verdadero si terminamos viviendo lejos de nuestra familia original. Tíos y tías substitutos también son importantes en la vida de tus hijos, y es más: a nuestros hijos les enseñamos sobre la amistad según cómo tratamos a nuestros propios amigos. Piensa en esto cuando, aún como adulto, tengas una dificultad en alguna relación, dentro o fuera de la familia.

Por último, están nuestros sacerdotes y religiosos. Esto puede parecer contraintuitivo y tal vez estés pensando: «¡pero en mi familia no hay ningún sacerdote!». Pero sí los hay. El párroco de tu parroquia es un miembro de facto de todas las familias de su parroquia. «Padre» no es sólo un título; establece una relación, y tus hijos aprenderán cómo relacionarse con la Iglesia, con sus sacerdotes y con otros trabajadores de la Iglesia viendo cómo tú te relacionas con ellos. Puede que el sacerdote que tienes ahora no sea tu favorito. Está bien, pero también tu papá puede ser difícil y aún así sigue siendo tu papá. El carácter familiar de estas relaciones funciona de dos maneras. Primero, como miembro de la Iglesia eres parte de estas relaciones, las quieras o no. Como mínimo, debes contribuir algo para mantenerlas y celebrarlas después de la Misa. El buen sacerdote se involucra en la vida de su gente. Pocas cosas le traen más alegría a un sacerdote que una invitación a cenar. En parte, la razón por la que él no tiene familia propia es para poder ser parte de la tuya. Entre los hermanos y hermanas religiosas hay una dinámica similar. Si en tu parroquia o en la escuela hay hermanas religiosas, llévales cosas, muéstrales que aprecias su vocación, pídeles que oren por ti y por tus intenciones especiales. Más fundamentalmente, cuando te encuentres en verdaderas dificultades espirituales, acude a los sacerdotes en los que confías: sea el de tu parroquia u otro, déjale ser sacerdote para ti. Él está allí *para eso*: así le ayudas a cumplir su misión y así él te ayuda a ti a cumplir la tuya.

Conclusión

Las personas sacramentales tienen una manera de ser familia que es diferente a la de la mayoría de la gente. Además de las relaciones que tenemos, creciendo como seres humanos y aprendiendo a apreciarnos el uno al otro, nosotros somos capaces de ser canales de gracia y vehículos de la vida de Dios el uno para el otro. Esto es así por los sacramentos que celebramos y las vidas que llevamos en común. Aprovecha esas relaciones que Dios te ha dado y déjalas que te cambien. Éste es el lugar que te ha sido dado para cumplir tu Misión, ésta es la gente que Dios te ha dado para que te ayude. Agradece a Dios por el regalo que son estas personas, no sólo para que te ayuden sino también para que tú las ayudes a ellas. Juntos, se ayudarán a cumplir su Misión y a transformar a la Iglesia.

Resumen

- ¿Cómo se asemejan el pertenecer a la Iglesia y el pertenecer a una familia?
- ¿Por qué es diferente casarse por la Iglesia a casarse fuera de ella?
- ¿Cómo afecta la gracia las vidas de los casados bautizados?
- ¿Por qué es esencial para todo matrimonio cristiano involucrarse en la parroquia? ¿Cómo puedes apoyar a tu matrimonio a través de tu desenvolvimiento en tu parroquia local?
- ¿Cómo pueden ustedes, como pareja, ser del mayor servicio a la Iglesia local?

Capítulo 9:
Entrenándose en la virtud:
Crítica, reencaminamiento y reconciliación

«Si tu hermano peca contra ti, ve y repréndele estando tú y él solos; si te oyere, has ganado a tu hermano. Mas si no te oyere, toma aún contigo a uno o dos, para que en boca de dos o tres testigos conste toda palabra. Si no los oyere a ellos, dilo a la iglesia...» (Mateo 18:15-17)

«Cristo permanece con ellos [con los cónyuges cristianos], les da la fuerza de seguirle tomando su cruz, de levantarse después de sus caídas, de perdonarse mutuamente, de llevar unos las cargas de los otros, de estar «sometidos unos a otros en el temor de Cristo» y de amarse con un amor sobrenatural, delicado y fecundo. En las alegrías de su amor y de su vida familiar les da, ya aquí, un gusto anticipado del banquete de las bodas del Cordero...» (Catecismo de la Iglesia Católica, 1642)

Objetivos

- Articular una definición sencilla, fácil, entendible, de la virtud. Poder ofrecer ejemplos cotidianos.
- Mostrar cómo las parejas están especialmente llamadas a «entrenarse mutuamente en la virtud».
- Diseñar un examen de conciencia para ti, especialmente respecto de tu posición como cónyuge.
- Discutir las críticas en el contexto de la relación y por qué las críticas pueden ayudar tanto.

Diciendo la verdad

Todos sabemos que somos imperfectos, pero a casi nadie le gusta que se lo recuerden. En la mayoría de nuestras relaciones preferimos mantener la ilusión de la perfección, o por lo menos fingir que somos mucho mejores de lo que verdaderamente somos en muchas más cosas. Esto es en últimas el resultado del pecado. El pecado nubla la visión y nos impide vernos a nosotros y a los demás como verdaderamente somos.

El matrimonio tiene como intención ayudar a resolver eso. Tu matrimonio está llamado a ser un lugar seguro en el que puedes ser tú mismo – real y verdaderamente tú mismo – hacia la otra persona,sin temor a ser juzgado. Eso no quiere decir que nadie te corregirá por tus faltas o no te desafiará a mejorar tu estado personal, moral, emocional y físico. Pero por lo menos con tu pareja – y ojalá a través de ella con unos pocos familiares y amigos cercanos – puedes ser genuinamente vulnerable para poder crecer en santidad.

La importancia de ser virtuoso

Cuando eras niño probablemente te enseñaron los Diez Mandamientos. Esas son las reglas morales básicas por las que tratan de vivir no sólo los cristianos y los judíos, sino también otra gente de bien. A los mandamientos se los obedece, pero no tanto a través de una serie de decisiones individuales (por ejemplo: hoy decido que no voy a tener un affair con mi secretaria), sino a través de la virtud. La palabra «virtud» tiene hoy una reputación algo mala: conjura imágenes de la vieja religiosa del programa de televisión *Saturday Night Live* y de gente puritana cuya misión es salvar de la diversión al resto de la humanidad. Nada más lejos de la verdad. La palabra virtud viene del latín vir, que significa «hombre». Este «hombre» es específicamente masculino, pero eso no quiere decir que las mujeres no puedan ser virtuosas. Es porque a los antiguos héroes griegos y romanos (por ejemplo Perseo y Eneo) se les consideraba como los más virtuosos por ser valientes, fuertes, genuinos y leales. De manera que aunque la palabra está relacionada con hombres en el sentido de género, la idea es absolutamente universal. Las virtudes son los hábitos que caracterizan la vida de la gente moralmente buena.

Tú ya tienes un buen número de virtudes. En el ejemplo anterior, con seguridad has desarrollado un cierto nivel de castidad y templanza. La castidad no es sólo una virtud de los sacerdotes o los religiosos; no significa simplemente «no tener sexo», sino más bien «vivir mi sexualidad de acuerdo a mi estado de vida». De esa manera se puede decir correctamente que una mujer casada tiene «sexo casto» con su esposo. Tiene la virtud de la castidad, no porque todos los días se tenga que decir «aquí hay un hombre disponible al que probablemente pueda seducir, o del que sé que está interesado en mí, pero voy a pensar conscientemente en no tener sexo con él». No. Más bien, la virtud es lo que le permite a ella vivir una vida diaria normal sin tener que pasar por todo eso. La virtud es el hábito del amor y la fidelidad que le tiene, primero a su marido y segundo al hábito del amor, la simpatía y el cuidado que tiene por otros hombres en su vida, que a su vez se benefician de su castidad porque no tienen la tentación de pecar ellos mismos.

La virtud no aparece de la noche a la mañana o sin esfuerzo alguno. El crecimiento en la virtud, como cualquier otro hábito, tiene lugar en un largo período de tiempo, y requiere atención y consistencia. Como una de los deberes principales de tu cónyuge (y por lo tanto uno de tus propios deberes principales) es ayudar a la pareja a vencer el pecado y a volverse la clase de persona que está llamada a ser, el Entrenamiento en la Virtud va a ser una de las cosas más importantes que harán el uno por el otro.

La virtud en el promedio

«Hay una manera correcta y una manera incorrecta de hacer todo», empieza el dicho que luego continúa con lo que sea que el hablante piensa que es correcto e incorrecto. En realidad, casi nada tiene simplemente una manera correcta y una incorrecta, sino que generalmente hay maneras mejores y peores de hacer las cosas. Pasa lo mismo con el entrenamiento de tu pareja en la virtud. Mucho dependerá de ti y de tu pareja, de sus persona-lidades y de su relación. Igualmente, hay ciertas maneras generales de ser un buen o un mal entrenador.

En este momento puede que estén un poco nerviosos. Incluso si crecieron en familias saludables, generalmente uno de los dos es más crítico que el otro, o por lo menos más directo en las críticas. Ella es una criticona; él es un descuidado. Ninguno de los dos extremos es lo que estamos buscando. Pero el miedo a ser criticón no sale de la nada. Pocas cosas pueden militar tanto en contra de un matrimonio bueno y placentero como la criticonería. Generalmente esto pasa porque como pareja no se han impuesto límites en cuanto a cuándo, dónde y cómo ofrecer opiniones y críticas. Ahora bien, hay momentos en los que uno de los dos tiene que actuar inmediatamente: si la vida de alguien o su salud o su bienestar están en juego, si la pareja parece haber perdido la cabeza, o si la relación misma y/o los hijos están en peligro de daño serio. Por ejemplo, si en la fiesta de Navidad de la oficina tu pareja ha bebido demasiado, sacarle las llaves del auto y llamar un taxi será probablemente lo correcto, aún si esto generará mal humor. Pero exceptuando esas circunstancias extremas, opiniones y críticas deben darse de manera clara y ordenada, en un entorno seguro y acordado. Esto minimiza el riesgo de que tu pareja pase vergüenzas y maximiza la posibilidad de que tus opiniones y sentimientos sean recibidos y atendidos.

Las opiniones y críticas en una relación son algo delicado. Casi siempre pensamos que somos esposos y esposas decentes, al menos generalmente. Mientras no seamos infieles, la casa no esté en peligro y los hijos no estén en la cárcel, nos está yendo bastante bien, ¿no? En realidad, con frecuencia esos no son los mejores indicadores de la salud en una relación. Una pareja sana, santa e incluso feliz se puede encontrar en dificultades financieras y perder una casa, pero salvar un matrimonio. Una buena familia puede tener un hijo que al pasar por una etapa difícil termina en la cárcel, pero eso no tiene por qué ser el fin del mundo. Y sí, los matrimonios pueden incluso sobrevivir las infidelidades, aunque sea muy difícil y doloroso. El punto es que la salud y vitalidad generales de tu relación no se pueden limitar a una sola meta u objetivo. Se trata del paquete completo. En últimas, las opiniones y las críticas también.

No es posible tener éxito con las críticas sin haber hecho un cierto trabajo preliminar del que hemos hablado en este libro. La Visión, la descripción laboral (?), los Objetivos de la Relación, y las listas de responsabilidades son todas importantes para poder ofrecer críticas concretas y claras, y poner a tu pareja en acción. Decir "eres muy sucio" o "tu oficina es un desorden", no es tan útil como decir "querido, creí que habíamos acordado que limpiarías la oficina por lo menos una vez a la semana. Ha pasado todo un mes y no has tocado nada. ¿Está todo bien? ¿Te puedo ayudar con algo? ¿O tenemos que ajustar el calendario de limpieza?" De nuevo, lo más importante que hay que evitar es comunicar sólo los sentimientos negativos y la molestia general; eso no ayuda, y si son ciertos, tu pareja probablemente ya lo sabe. Es más, la naturaleza acusadora de esta clase de comentarios, "eres muy sucio", pone a tu pareja a la defensiva, y probablemente resultará en que ella minimice el problema – no en que haga algo por tratarlo.

Así, una versión del mal entrenador es aquel que siempre da una crítica negativa. Hay que evitar eso. Igualmente problemático, sin embargo, es el permisivo que rehúye el conflicto. Una de las razones importantes por las que te casaste fue para ofrecer y recibir críticas y para convertirte en un buen Entrenador en la Virtud. Entonces, aunque parezca que tú estás ayudando a tu pareja a crecer en la virtud al ofrecerle cuestionamientos y críticas, en realidad eso te ayuda a ti a confrontar tu propio miedo al conflicto, y a crecer en coraje y valor. El miedo al conflicto es un detrimento absoluto para un matrimonio saludable. El conflicto es inevitable, lo importante de un matrimonio sano, santo, y feliz es aprender a negociar y desenvolver el conflicto de una manera creativa, productiva y constructiva.

El permisivo que rehúye el conflicto es un mal cónyuge porque abandona a su pareja en sus pecados y faltas. Aguantarse mutuamente las faltas es parte de cómo crece una pareja en virtud y santidad, desarrollando la paciencia, teniendo la gracia de ver el diseño de Dios en las situaciones menos que perfectas, y ojalá haciéndose más piadoso hacia uno mismo y hacia los demás. Pero permitir comportamientos malos, destructivos, disfuncionales y malsanos no es amar a alguien. De hecho, eso es en sí mismo malsano, disfuncional, destructivo y malo. En pocas palabras, es simplemente otra clase de pecado.

Así pues, el buen Entrenador en la Virtud comienza por la honestidad. Un pequeño examen de conciencia de la relación un par de veces al día puede ayudar bastante. Un examen de conciencia es la clase de auto-examen que usualmente hacemos antes de la confesión, pero que todos los grandes escritores espirituales recomiendan hacer frecuentemente, incluso diariamente. Deberías escribir un ejemplo específico para ti mismo, porque tú sabes tus propios pecados (piensa en lo que usualmente dices en la confesión, o en confianza cercana con un amigo). Es algo como esto:

Ejemplo de examen de conciencia para un cónyuge

- ¿He orado hoy? Cuando oré, ¿di gracias a Dios por mi pareja? ¿Oré por mi pareja y por nuestra relación? ¿Pedí hoy la gracia de ser más fiel que antes?
- ¿Le estoy prestando suficiente atención a mi pareja? ¿Estoy teniendo en cuenta sus necesidades, anticipando sus deseos como mejor puedo, y cumpliendo mi parte en esta relación?
- (Si hay niños:) ¿Cómo me estoy desenvolviendo como mamá o papá? ¿Les estoy dando un buen ejemplo a mis hijos? ¿Estoy siendo justo con la disciplina? ¿Demasiado duro? ¿No lo suficiente? ¿Les muestro a mis hijos cuánto amo a su mamá o papá? ¿Le he dado gracias hoy a Dios por el don de mis hijos? ¿He pedido protección y ayuda para ellos? ¿Estoy pasando suficiente tiempo con ellos?
- ¿Estoy cumpliendo mi parte en el mantenimiento del hogar? ¿He cumplido todos los deberes que me tocan? ¿Me he olvidado de algo? ¿He sido rápido para corregir mis errores o buscar ayuda si la necesito?
- ¿Soy responsable con nuestros recursos? ¿Gasto dinero innecesaria o frívolamente? ¿Estoy haciendo mi parte para ayudarnos a vivir dentro de nuestras posibilidades? ¿Estoy ayudando a ahorrar para el futuro? ¿Hago sacrificios cuando es necesario? ¿Aliento a mi pareja/hijos a hacer lo mismo? ¿Estoy dando suficiente de mi tiempo, talento, y tesoro tanto a la Iglesia como a la caridad?
- ¿Soy atento a la vida emocional de mi pareja? ¿Soy honesto, tanto conmigo como con mi pareja, en lo que respecta a mi propio estado personal/emocional? ¿Mis expectativas son justas? ¿Juzgo a mi pareja con un estándar que yo mismo no cumplo? ¿Expreso mi insatisfacción de una manera que pueda ser oída?
- ¿Soy atento a las necesidades/deseos sexuales de mi pareja? ¿Estoy dispuesto a dar de mí y me siento libre de pedir lo mismo a mi pareja? ¿Cómo reacciono ante una respuesta negativa? ¿Estoy negando algo de mí? ¿Me masturbo en privado? ¿Miro pornografía? Cuando estoy con mi pareja, ¿me

imagino estando con alguien diferente? ¿Hago un gran esfuerzo sexualmente para darme a mí mismo, y no sólo para usar a mi pareja para mi propio goce?

- ¿Estoy abierto a recibir el don de la nueva vida que Dios quiere darnos en nuestra expresión sexual, tanto en términos de hijos como en términos de nuestra propia relación? ¿Creo los espacios para que mi pareja pueda comunicar sus propias necesidades, ansiedades o deseos? ¿Soy claro con los límites sexuales, tanto entre nosotros como con otras personas? ¿Le muestro afecto a mi pareja en público, en especial en presencia de nuestros hijos?
- ¿Estoy viviendo mi matrimonio al servicio de la Iglesia y del mundo? Mi pareja y yo, ¿somos un buen ejemplo de amor marital para nuestros hijos y nuestros prójimos? ¿Damos de nosotros como pareja y como familia? ¿Ambos tenemos en cuenta la Visión general de nuestro Matrimonio? ¿Cómo es nuestro amor un signo del amor de Cristo por Su Iglesia? ¿Cómo podríamos mejorar?

De nuevo, esto es sólo un ejemplo. El tuyo puede incluir preguntas tan específicas como "¿limpié el lavaplatos hoy?" o "¿le recordé a mi pareja sobre su entrenamiento de fútbol?" Todas estas son cosas que pueden ser dificultades particulares en su relación. En todo caso, hacer un examen de conciencia cada día, tal vez por la noche antes de dormir o al hacer ejercicio en la mañana, en el auto o en la ducha, o en cualquier otro momento adecuado, puede ser una buena forma de vigilarte a ti mismo y de enmarcar las conversaciones posteriores con tu pareja.

Otro error del potencial Entrenador en la Virtud es suponer que, como él mismo no es perfecto, no está en situación de ofrecer crítica constructiva a la pareja. Esta es una preocupación totalmente natural, pero innecesaria. Si alguien del trabajo te está haciendo perder la paciencia llevándose los útiles de la oficina a su casa y llegando siempre tarde, es menos probable que los enfrentes si tú de vez en cuando te llevas algo y llegas tarde. Pero la situación es totalmente diferente con tu pareja. Las críticas al compañero de trabajo pueden resultar, o ofrecerse, por muchos motivos. Además, la persona podría sentirse amenazada. La crítica, la corrección y la reconciliación en un matrimonio nunca deben encontrar miedo o sospecha. La razón de ser de tu matrimonio es ayudarte a ser mejor persona, y juntos ayudar a todos los demás a lo mismo. ¿Cómo puedes esperar hacer eso si alguien – especialmente la persona más cercana a ti – no te puede señalar las cosas en las que todavía puedes crecer? El prerrequisito más importante para un Entrenador en la Virtud es esforzarse él mismo por la virtud; no necesariamente lográndola el 100% del tiempo, pero con un entrenador que te apoye, te aliente, y te haga mejor en el camino.

Manteniendo la regularidad

La metáfora deportiva es buena para la vida espiritual y para la formación en la virtud en particular, porque las virtudes se parecen mucho a las habilidades atléticas: sólo las tienes si las usas. Esto suena contraintuitivo. ¿Cómo puede uno usar algo que no tiene? La formación de la virtud se ilustra bien así: supón que hay un niño pequeño que le tiene miedo a la oscuridad. Le dice a su papá que tiene miedo y no puede dormir. El papá le dice que haga como si fuera un valiente. El niño lo intenta con toda su fuerza, y después de algunas noches ya no le tiene miedo a la oscuridad. La práctica hace al maestro. Todos tenemos dentro de nosotros la semilla de todas las virtudes, pero hay que ejercitarlas un poco para desarrollar el hábito. Paradójicamente, uno llega a ser valiente a través de actuar valientemente, uno logra la abstinencia a través de abstenerse una y otra vez, y te harás justo a través de los actos justos.

Así pues, como si fuera entrenar para un deporte, tienes que tener un régimen regular de entrenamiento en la virtud. Reúnete con tu entrenador a horas acordadas y en lugares designados, de manera que ambos sepan lo que está sucediendo. No sería de esperar que tus compañeros de trabajo respondieran muy bien si los tomas en la pausa del café en la oficina y les pides que hagan ejercicio. De la misma manera, no empieces una sesión de entrenamiento en virtud con tu pareja justo cuando acaba de podar los arbustos. Reuniones cada dos semanas es una buena regla, tal vez de 7 a 7:30 los primer y tercer martes de cada mes.

Como con el entrenamiento para un deporte, debe haber algo de rutina regular. Como buen precalentamiento, se puede empezar con un informe. Ustedes probablemente se cuentan cosas todos los días de todos modos, pero esto es una buena oportunidad para hacer una reflexión más substancial de la última o las dos últimas semanas. Tal vez compartan logros y dificultades, y dejen que las dificultades lleven naturalmente a las críticas, tanto a través de la afirmación como de la corrección de comportamientos.

Empiecen con los comentarios positivos. Ahora, si tu relación es por lo menos un poco sana, ustedes se dan comentarios positivos espontáneamente durante la semana. "Cómo estás de linda hoy", o "gracias por cortar el pasto, querido". "Estás muy buen mozo", son todos comentarios positivos. Eso se puede y se debe continuar, y ojalá incluso aumentar y ganar en calidad. Pero en las reuniones regulares se trata de comentarios positivos más dirigidos. Más que simplemente apreciar lo que está pasando a tu alrededor, vuelve a mirar tu descripción laboral, y articula específicamente aquello por lo que estás agradecido. En vez de decir simplemente "la cocina está hermosa", di "gracias por ordenar la cocina. La despensa está tan limpia y ordenada, y los cajones tan organizados...". Entre más descriptivo y preciso sea tu comentario positivo, más poderoso será su impacto.

Las dificultades, obviamente, son más difíciles. Igual que con el comentario positivo, hay que ser tan específico como sea posible. En vez de "el cuarto siempre es un desorden", di específicamente "habíamos acordado a no dejar la ropa en el suelo. ¿Podrías por favor prestar más atención?" Usa los deseos de tu pareja por su bien y para mejorar sus hábitos personales para tu bien: "ya sabes cómo dices siempre que quieres ser más organizado en el trabajo y en la oficina? Bueno, si empezaras por el cuarto eso podría ayudar." Y sé abierto a apoyar a tu pareja, caminar con ella en ese camino de crecimiento. "Yo estoy poniendo bastante más atención en guardar las cosas del cuarto, así que ambos tengamos en cuenta la organización en el espacio de cada uno, ¿te parece?" Además, así como tenías planeado hablar de esas cosas que te preocupan, ten preparada por lo menos una solución posible a esas dificultades. No te aferres a tu propia solución, sin embargo, porque tu pareja puede tener una idea creativa que tú no habías contemplado.

Lo más importante es que la crítica se base en aquella serie de valores y tareas que ambos acordaron. Parte de la razón por la que tienes que ser específico en tus críticas es no sólo que tu pareja pueda ver lo que te molesta, pero también para que pueda ver que la dificultad le impide ser todo lo que puede y quiere ser. Por eso es tan importante tener lista de antemano la Descripción de los Quehaceres, no para que les cuelgue encima de su alma, sino para que les pueda ofrecer un espejo en el cual mirar exactamente cómo van las cosas.

El buen y el mal entrenador

Aunque no hay sólo una manera de entrenar a alguien en la Virtud, con toda certeza hay maneras mejores y peores de hacerlo. Primero que todo, incluso en las circunstancias más dificultosas, es necesario ofrecer comentarios tanto positivos como negativos. Aún si uno de los dos está verdaderamente enojados, tienen que encontrar y nombrar algo positivo, o de lo contrario nada de lo que digan será escuchado. De hecho, si no hay nada positivo sobre la otra persona, entonces ¿para qué estás tratando de arreglar las cosas con ella?

Los halagos pueden ser difíciles tanto de darlos como de recibirlos. Mucha gente tiene problemas de autoestima, y muchos son los más despiadados críticos de sí mismos, así que tienden a desconocer los comentarios positivos, y a ser muy sensibles con los negativos. Ninguna de las dos cosas está bien. Con frecuencia ayuda imponer una especie de regla, que dice que durante los comentarios positivos el que recibe los halagos no puede decir nada más que "gracias" o "eso me alegra mucho". De esa manera, con el tiempo tu pareja llegará a entender cuánto la valoras en verdad, a ella, a su tiempo y a sus atributos positivos.

La crítica negativa muchas veces es más fácil de recibir, y más difícil de dar. Como con los comentarios positivos, hay que ser claros, directos, y referirse a las expectativas comunes. Sé claro, especialmente, sobre cuándo y por qué tal comportamiento particular es problemático para ti, y sobre las maneras en que te gustaría que cambiara. Al mismo tiempo, sé claro en tu amor y afecto generales por tu pareja, y sobre tu disposición para ayudarles a cambiar. Haz ofertas, no des ningún ultimátum; alienta, no acuses. Desafía, no culpes. Y todo el tiempo muestra tu disposición a ayudar.

Lo más importante, sin embargo, tanto en lo positivo como en lo negativo, es poner claro el contexto. En otras palabras, tu pareja necesita saber el contexto en el que el comportamiento problemático tuvo lugar, o el nuevo contexto en el que el comportamiento corregido va a ocurrir. Por ejemplo, digamos que de camino a casa oíste algo en la radio sobre conservar vivo el romance en el matrimonio. Eso te inspiró y paraste a comprar rosas. Tu pareja, que no ha visto un detalle como este en un buen tiempo, exclama algo como "¿y esto qué significa?" Le falta el contexto de tu detalle. De la misma manera, puede que ella te haya preparado tu comida o tu postre preferido, y tú te preguntas qué será lo que va a pedir a cambio. El contexto es clave para que los cambios de comportamiento sean inteligibles.

Una cosa en la que se diferencian los halagos de los cues-tionamientos, sin embargo, es que no hay que darlos en persona. Los halagos por texto, email, mensajes de teléfono, tarjetas escondidas en las valijas, notas escondidas en el espejo del baño, u otras vías sorpresivas, pueden ser muy dulces, reconfortantes, y sensuales. Usa la tecnología para mantener vivo el romance. Los cuestionamientos, por otro lado, deben ser presentados en persona. Primero que todo, porque de otra manera es mucho más fácil caer en malentendidos. Segundo, porque tu pareja tiene derecho a poder responder. Y por último, encontrar la solución es mucho más difícil si la buscan por separado que si la buscan juntos.

Réplica, su Señoría

El propósito de cuestionar a tu pareja no es señalar las faltas, sino corregir los comportamientos. Por ejemplo, si claramente están experimentando tensión en cuanto a cada cuánto tienen relaciones, la manera de mencionar que muchas veces te sientes presionado sexualmente no es simplemente "eres demasiado dependiente y me molesta". Sin duda tu pareja ya sabe eso, probablemente se siente culpable, y no sabe muy bien qué hacer al respecto. Tu meta debe ser ayudarle a tomar conciencia del problema y a encontrar una solución que no sólo resuelva el problema inmediato (la presión que sientes), sino que al mismo tiempo dirija esas energías hacia un comportamiento positivo. Dado que el deseo sexual es en últimas un deseo de intimidad, alienta a tu pareja a ser más romántica: a comprar flores, hacer cenas, ayudar a limpiar la casa, colaborar donde no tiene que colaborar, o con cualquier pedido especial que tengas, no para que lo premies con el sexo, sino para que pueda experimentar de un modo radicalmente nuevo la realización del deseo. Eso le ayudará a crecer en la virtud; no sólo en castidad y abstinencia, sino en paciencia y benevolencia.

Una diferencia importante entre los halagos positivos y los cuestionamientos negativos es que mientras que los halagos deben ser más o menos un monólogo sin invitar demasiadas intervenciones, la crítica debe ser más una discusión con un intercambio fluido de ideas y articulación clara de emociones. Hay varias razones para que esto sea así. Primero, sin importar cuánto te haya molestado el comportamiento particular, cuando llegas a la reunión debes estar lo suficientemente tranquilo como para articular la manera exacta en que has percibido el comportamiento problemático y el por qué te molesta tanto, y al mismo tiempo suficientemente abierto a escuchar lo que tu pareja tiene que decir. Puede que haya información crucial que no conoces respecto de la situación, la cual podría cambiar el escenario. Puede que a tu pareja también le moleste ese mismo comportamiento y que haya hecho reflexiones útiles sobre por qué pasó lo que pasó; o que ya ella misma haya diseñado un plan de acción que podría complementar o incluso reemplazar las ideas que tú has traído a discusión. Recuerda: gran humildad es necesaria para recibir un serio Entrenamiento en la Virtud, y para mostrar una disposición al cambio. Ofrécele a tu pareja esa misma humildad aún cuando tú le estás ayudando a ella a crecer.

Antes de intentar cualquier cuestionamiento y corrección, piensa un momento en las siguientes preguntas:

- ¿Tu pareja sabe que su comportamiento no está a la altura de tus expectativas? ¿Sabe por qué?
- ¿Tu pareja sabe qué valor está en juego y qué preferirías tú?
- ¿Hay obstáculos (de los cuales puedes no ser consciente) que sean imposibles de superar para tu pareja?
- ¿Tu pareja sabe cómo hacer lo que tú quieres que haga?

- ¿Es incluso capaz de hacer lo que tú quieres que haga, aún queriéndolo ella misma? ¿Lo puede hacer por sí misma, o necesitan tu ayuda o la de alguien más para lograrlo?

Entregando el mensaje

Algunos comportamientos no entran en ninguna de las dos categorías. Es decir, no son ni comportamientos de los que haya que hablar en una sesión de entrenamiento, ni comportamientos seriamente problemáticos que haya que corregir con rapidez. Mucho de aquello con lo que tendrán que lidiar de cada uno no es ni malos hábitos ni decisiones terribles, sino algo en el medio. En cualquier caso, los siguientes principios se pueden aplicar con facilidad a todas las situaciones:

Prepara el escenario – Dependiendo del tipo de preocupación, pónganse una cita para la reunión. Puede que entre bien en su horario regular de reuniones maritales, o puede ser más urgente de corregir. Una de las cosas buenas de reunirse más pronto que tarde es que el caso estará todavía fresco en la mente de tu pareja. Puede ser que no estuviera fresco si tuvieran que esperar dos semanas para hablarlo. En cualquier caso, no se trata de tenderle una emboscada a tu pareja. Pon una cita que les vaya bien a ambos. Reúnanse en territorio neutral (si la cocina es "tuya" y la oficina es "de ella", reúnanse en la sala o en el patio).

Comparte y adueñate de tus observaciones – Sólo sabemos lo que vemos. Uno puede imaginarse algunas cosas razonablemente bien, pero no pretendas conocer la situación en su totalidad hasta que hayas podido hablar de ella. Simplemente describe el comportamiento en cuestión como lo observaste o experimentaste, y articula qué valores de los que comparten como pareja sientes tú que han sido violados. Por ejemplo, "vi que perdiste la paciencia con Alec tres veces la semana pasada por su tarea de matemáticas. Me parece que habíamos acordado que no le ibas a gritar a los niños por sus tareas de escuela".

Explica tus expectativas – Sé claro en lo que quieres que tu pareja haga para corregir lo que ha estado mal. "Me parecería bien si pudieras ser más paciente con las tareas de Alec".

Escucha la respuesta de tu pareja – Esto es muy importante. Tu pareja probablemente se sienta culpable y puesta en evidencia. Déjala hablar y pasar por sus sentimientos de rabia, culpa, frustración e incompetencia. Sé al mismo tiempo muy justo y muy serio; este no es el lugar para justificar comportamientos legítimamente negativos. Al mismo tiempo, puede que haya circunstancias legítimas que no conoces que le dan un color diferente a la situación. Si Alec se había estado portando mal todo el día antes de que tú llegaras, por ejemplo, puede que se justifique más la pérdida de la paciencia, o por lo menos que sea más entendible. Por eso es muy importante hacer preguntas para aclarar las cosas, "¿hay algo que haga más difícil tenerle paciencia?"

Negocia una solución – Es aquí que empieza de verdad el trabajo en equipo. Busquen como pareja una solución viable, realista y que ambos acuerden. Puede ayudar al principio proponer varias soluciones posibles. Primero que todo, la gente tiende a participar más en soluciones que ellos mismos ayudaron a crear. Si no pueden o se niegan a ofrecer soluciones, entonces por lo menos pon claramente tus propias sugerencias. "¿Qué tal si intercambiamos las tareas de los niños en las próximas semanas?" O tal vez "¿quieres hacerte cargo de las tareas de lenguaje e historia, y yo hago matemáticas y ciencias?" Recuerda: no se trata de quién está en lo correcto, sino de qué es lo correcto.

Haz seguimiento – La mejor manera de que una sesión de crítica falle es dejar de hacerle seguimiento al comportamiento que hay que cambiar. Por eso es importante, en esa primera reunión, ponerse una cita en el calendario para examinar el progreso. La fecha puede variar bastante dependiendo de lo que se trate. A veces es cuestión de volver al tema en la próxima reunión. Otras veces puede que se necesite seguimiento al día siguiente. Sean flexibles sobre lo que es posible y sobre los planes posibles. No esperes que de un día para otro se muevan montañas, y no esperes que todo salga perfecto inmediatamente. Entre más profundas sean las raíces del comportamiento, más tiempo tomará cambiarlo. Los viejos hábitos son difíciles y lentos de cambiar, y puede que se necesiten varias sesiones antes de que el comportamiento indeseable cambie exitosamente.

No trates de hacerlo todo tú solo. Ustedes dos están en un equipo, pero no están jugando solos. No tengas miedo de pedir ayuda o buscar soluciones creativas que involucren a otras personas. No se trata de exhibir todos los problemas de la relación, pero a veces ayuda mucho buscar la ayuda de otra gente. Por ejemplo, puede que parte de lo que lo tiene preocupado a tu marido – y de lo que lo hace perder la paciencia con tu hijo – sea que casi no tiene tiempo de llegar del trabajo a la escuela a recogerlo y luego ir de la escuela a la casa para empezar a preparar la cena a tiempo para cuando tú llegues. Entonces tal vez la solución esté en que algún vecino que tenga un hijo en la misma escuela pueda recoger a tu hijo y tenerlo en su casa hasta que tu marido pueda pasar por él. Por otro lado, si lo que realmente preocupa a tu marido es una experiencia traumática que tuvo en matemáticas cuando él estaba en la escuela, o el secreto temor de que no le cuadren las cuentas, entonces tal vez sea momento de alentarlo con amor a que busque ayuda.

Sea solidario - El objetivo aquí no es para ponerse mutuamente en errores. Toda la empresa de su matrimonio presupone que usted ha cometido errores, tiene la capacidad para faltar, y continuará a cometer errores; todos nosotros luchamos contra el pecado, y avanzamos hacia la santidad - más a trompicones que a pasos agigantados. Cada vez, cuando desafíes a su cónyuge con algo, desde el hábito personal más de menor importancia al problema conyugal más grave; él o ella debe saber, por encima de todo, que lo ama, que lo ama incondicionalmente—y, que su objetivo en este caso es su perfección mutua y el crecimiento en la santidad, y no es para ganar una ventaja sobre él o ella.

La entrega de un mensaje de desafío no es fácil, pero hay cosas que podemos hacer para que la experiencia sea menos molesto para todos los involucrados. Al final, los retos que experimentamos en la vida conyugal son sólo para hacernos mejores y santos fuertes

Un toque de negocios

En el mundo de los negocios, virtualmente todo el mundo odia las sesiones de revisión. Hay estudios que muestran una y otra vez que tanto el empleado como el supervisor (o el que esté encargado de dar comentarios y críticas) se sienten incómodos con el proceso e insatisfechos con los resultados. En consecuencia, la mayoría de las sesiones de revisión no le dan información significativa a ninguna de las partes, y así los puntos de acción que resultan son tan vagos que básicamente no se pueden medir. Esto es malo tanto para el individuo como para la compañía. El individuo nunca sabe si en verdad está mejorando y la compañía se queda con la preocupación original que se suponía que se iba a tratar. Ninguna de estas situaciones es lo que buscamos para tu matrimonio.

Más allá de los problemas que tienen las corporaciones, el dar y recibir ejemplos de lo que uno está haciendo bien y de dónde puede uno mejorar, puede ser muy satisfactorio. Esto es así porque si los empleados de una compañía se están desempeñando bien, es probable que a la compañía le esté yendo bien, también. Las corporaciones responsables le dan comentarios a sus empleados por lo menos una vez al año. Los comentarios deben basarse en la descripción laboral del trabajo del empleado, tal vez también con relación a los valores, estándares y objetivos que aparecen en la Visión de la compañía y otros documentos. Si a algún empleado le va mal en la sesión, o incluso es despedido por no cumplir una tarea que nunca se le asignó, tendrá motivos para iniciar una queja por despido injustificado. De manera similar, sería injusto con tu pareja que le pidieras cuentas por cosas que nunca habían discutido o que nunca se habían pedido el uno al otro.

Por lo tanto, la clave del buen comentario es comenzar con expectativas buenas. Si la Visión de su matrimonio, los Objetivos de la Relación, las Descripciones de los Quehaceres, o las tareas asignadas a cada uno son demasiado vagos o se prestan inherentemente a la posibilidad de serios malentendidos, entonces es momento de revisarlos. El propósito de diseñar esos documentos no era cumplir una tarea, sino encontrar un marco de trabajo para entender, mantener y evaluar mejor la relación de aquí en adelante. Así mismo, asegúrate de que el contenido de tu Descripción Laboral es claro. Si al comienzo del matrimonio acordaron que tú estarías encargado de los baños y tu pareja de la cocina, asegúrate de que tienes claro cuál es la noción de un baño limpio de tu pareja, y de que ella sabe qué esperas tú en una cocina bien mantenida. No es que haya que anotar todos los detalles de su vida. El conflicto en estas cosas no es inevitable, pero sí es importante que ambos partan de un mismo punto, de manera que cuando ocurran conflictos se puedan solucionar beneficiosamente para ambos.

Recuerda que el propósito de los comentarios y críticas que se ofrecen el uno al otro en su matrimonio es reforzar y sostener la relación. La crítica, en sí misma, debe ser útil para aclarar expectativas, tanto para ti como para tu pareja, a medida que la relación avanza. Cuando funcionan, las sesiones regulares durante el año, las sesiones especiales cuando hay algún problema, y una revisión general anual, o cada dos años, asegura que el trabajo diario de estar en una relación se vuelve en una herramienta para el desarrollo de una amistad cada vez más profunda, basada en la confianza, el respeto, la intimidad y el perdón mutuos.

Unas palabras sobre la reconciliación

La reconciliación es esencial en cualquier relación auténticamente cristiana. Estamos obligados a perdonarnos los unos a los otros, "tantas veces como setenta veces siete", según la orden del Señor; lo cual quiere decir: tantas veces como se nos pida. Pero esto no es simplemente Dios reemplazando una serie de mandamientos con otra. El perdón es esencial a la vida cristiana no sólo porque Dios lo ha ordenado, sino porque nuestras relaciones lo requieren. No somos perfectos, cometemos errores – casi todos muchos – , y necesitamos amigos amables, generosos y comprensivos, dispuestos y capaces de ayudarnos a pasar nuestros errores y nuestros pecados. Los mejores amigos en la vida cristiana son aquellos que nos aman a pesar de nuestros pecados, y nos ayudan a través de ellos a volvernos la persona que siempre fuimos llamados a ser.

Esto es verdad especialmente de los esposos cristianos. Uno tiene que estar dispuesto a aguantar bastante para estar casado; incluso los mejores tienen heridas por sanar, culpas por superar, pecados por dejar, y mucho espacio para crecer. La incómoda verdad sobre este arreglo, sin embargo, es que tú también tienes todo aquello. Esta clase de dinámica es una de las cosas más poderosas de un matrimonio cristiano. Al atarse el uno al otro se están atando a un ser humano pecaminoso, en plena conciencia de la exposición que tendrán durante toda una vida a los pecados del otro, y aún así con la confianza de que se van a ayudar a ser mejores al final de la vida.

Dejen entonces que el perdón mutuo esté en el centro de la relación. Esto no es simplemente "aguantar" a una persona que encuentras molesta. Ni tampoco es "aprender a lidiar" con el error que cometiste, una vez que caes en cuenta de que sí tenías otras opciones. Más bien se trata de cumplir la promesa del amor y la fidelidad y el aprendizaje, a pesar de las debilidades, del pecado, de las dificultades, y de las adversidades. La promesa de amarle más que lo que le amabas al principio, y ser cada vez, cada día, más fiel.

Resumen

- ¿Qué es la virtud? ¿Que quiere decir que "la Virtud está en la media"? ¿Que clase de virtudes crees que son especialmente importantes en la vida de casados?
- ¿Cómo puedes ayudar a tu pareja a hacerse más virtuosa? ¿De qué manera le puedes dejar ayudarte mejor?
- ¿Qué es un examen de conciencia? ¿Cómo puede ayudar en el proceso de Reconciliación, tanto sacramentalmente como simplemente en tu relación?
- ¿De qué manera los comentarios y críticas regulares ofrecen un foro seguro para ayudarse el uno al otro a crecer en virtud y santidad?

Capítulo 10: El tiempo en familia: Reuniones y retiros

"Las reuniones son el nuevo ascetismo..."

Si tú eres como casi todo el mundo, lo último que necesitas en este momento es una reunión más. De hecho, una de las quejas principales entre empleados y voluntarios en casi cualquier organización, desde Microsoft y Google hasta tu liga local y la Iglesia Católica global, es que hay "demasiadas reuniones". De hecho, los empleados se quejan con frecuencia de no poder hacer su trabajo por el tiempo que pierden en reuniones obligatorias. ¿Por qué, entonces, nos atrevemos a sugerir reuniones regulares en la pareja?

Primero que todo, las compañías y las organizaciones perjudican bastante a sus empleados con una serie interminable de reuniones en su mayor parte improductivas. Todos hemos tenido la experiencia, por lo menos algunas veces, de estar en una reunión muy bien manejada. Uno se da cuenta porque es tan distinta de las reuniones usuales. Y entonces pasa algo realmente increíble: en esas reuniones se logran cosas. Es posible, entonces, lograr cosas en reuniones bien organizadas y manejadas adecuadamente. Tal vez aún más importante, mientras que aquellas reuniones frecuentes que no parecen lograr nada lo cansan a uno, la alternativa, institucionalizar una falta organizada de comunicación puede ser aún más problemático. Así que cualquier organización que quiere vivir, prosperar, y sobrevivir, tiene que mantener las vías de comunicación fluidas, para poder avanzar con nuevos proyectos, generar nuevas ideas, y atender las necesidades de la operación. Lo mismo con tu matrimonio.

Objetivos

- Identificar la importancia de las reuniones y las características de una reunión efectiva.

- Explicar por qué la discusión espontánea simplemente no son suficientes para lidiar con todos los aspectos del matrimonio moderno.
- Desarrollar un ejemplo de orden del día para una reunión de pareja.
- Discutir la importancia de los retiros y cómo hacerlos posibles en tu horario.
- Identificar tres maneras en las que ustedes dos pueden reservar tiempo intencionalmente para cada uno.

Vamos a almorzar

Muchas reuniones fallan porque el moderador comete uno de estos dos errores: o la reunión es demasiado informal y le falta estructura y dirección, o la reunión está bien organizada y dirigida, pero tan formalizada y controlada que la gente que está reunida no se siente libre de participar verdaderamente. Irónicamente, ambos errores son en últimas fallas de comunicación, que presumiblemente era la propia razón de hacer la reunión. Para que una reunión tenga éxito se necesita que esté bien organizada para que el propósito sea claro, que se la dirija con eficiencia para no perder tiempo, y que tenga metas claras desde el principio – metas que se puedan lograr en la reunión o que, por lo menos, se puedan medir de alguna manera objetiva poco tiempo después.

Las reuniones periódicas son una de las mejores estrategias con las que cuenta una pareja para manejar conflictos presentes, evitar dificultades más serias en el futuro e incrementar la felicidad y satisfacción generales. Es fácil imaginar esta verdad en abstracto, pero, en parte por nuestras propias experiencias en reuniones, y también porque la mayoría de nuestros padres y abuelos no llevaban a cabo "reuniones de pareja" periódicas (por lo menos no que supiéramos en el momento), puede ser difícil saber si este enfoque es posible o aún deseable. Después de todo, en general ya estamos bastante ocupados así como estamos. ¿Cómo añadir toda una nueva serie de reuniones, que harán que nuestra vida personal se parezca más al trabajo? Es verdad que la vida es complicada y que agendar reuniones periódicas puede ser un sacrificio significativo. Pero la vida sigue igual, y ustedes con seguridad serán más felices, tanto en pareja como individualmente, si sacan el tiempo de hablar intencionalmente y cuidar de cada uno y de la relación. Estarán reforzando la prioridad que le dan a la relación.

Lo espontáneo y lo intencional

La crítica más obvia a las reuniones periódicas de pareja es que ustedes ya se están reuniendo. Casi siempre hablan de sus planes diarios al desayunar, y en cada cena hablan de cómo les fue en el trabajo o en el hogar. Todo el tiempo están en comunicación durante el día – las conversaciones al comer, los mensajes de texto en el supermercado, la llamada durante el día – , todo eso contribuye a mantener las vías de comunicación abiertas. No abandonen todo esto en favor de las reuniones periódicas. Más bien, suplementen lo que ya tienen, con una charla intencional sobre la relación, ¡aún si tal vez esto no sea su método preferido de comunicación durante el día!

Sencillamente, no hay substituto para las reuniones intencionales, estructuradas, cara a cara. Especialmente si tú y tu pareja viajan mucho. Las reuniones intencionales, agendadas regularmente, le dicen a tu pareja: "esto es todavía lo más importante para mí", ya sea que llevan casados seis meses, seis años o sesenta años. Muchas parejas se ponen una cita regular (como por ejemplo los primer y tercer martes de cada mes, o los segundo y cuarto jueves). Escojan un horario en que no estén ambos muy ocupados con otras cosas. Vayan a la reunión tan descansados como sea posible. Si, por la naturaleza de tu empleo, siempre están muy cansados después del trabajo, contemplen tener las reuniones antes de ir a trabajar. Ustedes sabrán en qué horas y días, y en qué conflictos habrá que enfocarse en este contexto. Lo importante es que saquen y dediquen tiempo – tiempo de verdad – para hablar de las cosas de menos y más importancia de la relación. No tendrás que preocuparte por el humor de tu pareja o por cómo reaccionará ante una pregunta o preocupación particular, porque ambos saben que ése es el momento de hablarlo. Ése es el momento de considerar cambios y ajustes en sus roles y responsabilidades, los planes para las próximas semanas, las cuestiones financieras, y asuntos de la casa y la propiedad. Este propósito de la reunión es doble: primero, ofrece con consistencia e intencionalidad un tiempo y espacio para discutir los "asuntos de negocios" de su vida conjunta, algo que con frecuencia se deja pasar si no se lo trata directamente; y segundo, les ofrece una oportunidad periódica para discutir aquellas cosas que no es fácil traer a colación mientras comen, ven televisión, o en el cuarto, porque sabes que pondrán incómoda a tu pareja. La reunión no es el momento para hacer una "revisión" total de tu pareja – eso lo discutimos en el capítulo anterior – sino de iniciar conversaciones sobre los asuntos diarios de su vida en pareja.

No se debe *nunca* confundir estas reuniones con las "reuniones familiares". Reunirse como familia es importante y perfectamente puede hacerse la misma noche, pero en las reuniones familiares los padres deben cumplir principalmente su rol como padres, mientras que en las reuniones de pareja deben pensar princi-palmente en términos de marido y mujer. No sólo es que hay cosas que no es adecuado discutir en frente de los niños – aunque sin duda esas cosas existen – sino que son maneras distintas de relacionarse el uno con el otro. Los niños también lo agradecerán, no sólo porque así no tienen que estar en una reunión que casi no les concierne, sino también porque verán el cuidado con que tú y tu pareja tratan a su relación. El mejor regalo que le puede dar un padre a sus hijos e hijas es ser un buen esposo para su madre; y así mismo, el mejor regalo que le puede dar una mamá a sus hijos es ser buena esposa. Las reuniones periódicas no ayudan sólo a ser competentes, sino que de hecho los harán tender a la excelencia. Tal vez la mejor manera de entender la diferencia entre las reuniones de pareja y las reuniones familiares sea pensar en la diferencia entre una reunión de "todo el personal" y una del "equipo ejecutivo" de una empresa. Eso es así porque aunque la Misión del amor que es su matrimonio incluye y afecta a los hijos, son ustedes dos los que están a cargo, y sus hijos estarán observando y siguiendo su guía.

Consejos para una buena reunión

Mucho se ha avanzado en el mundo empresarial para ayudar a los gerentes a dirigir mejor las reuniones. Las técnicas que ellos emplean también van a ser útiles para ti.

Orden del día – Puede sonar tonto y forzado, pero un orden del día por escrito es el primer paso de una buena reunión. No tiene que ser muy detallado, pero por lo menos anota en un papel las dos o tres cosas que quieres tratar con seguridad esta semana. Ambas partes deben tener la posibilidad de añadir puntos a la orden del día.

Tiempo – Establezcan un período de tiempo claro para la reunión en su totalidad, y por lo menos una idea general del tiempo de cada punto de discusión. No se acostumbren a pasarse de la hora. Si hay un punto que se puede dejar para la próxima vez, generalmente eso es lo que hay que hacer, especialmente si tú o tu pareja tienen que hacer algo o ir a alguna parte después de la reunión.

Metas – Para cada punto del orden del día, aclara no sólo cómo quieres tú que se desarrolle, sino también qué es lo mínimo que hay que hacer para evitar alguna mala consecuencia. Por ejemplo, si hay un cambio en la tasa de interés de tu deuda estudiantil y tienes que hablar de ello con tu pareja, ponlo en el orden del día. Aclara que hay que tomar una decisión sobre la cuenta del próximo mes esa misma noche, aunque no necesariamente decidir sobre la deuda entera. Esa discusión bien podría tomar la mayor parte de la reunión. Si al final de la reunión todavía no has podido decidir si pagar la deuda en su totalidad o solicitar un nuevo plan de pagos, por lo menos busca acordar pagar el primer mes para evitar multas.

Notas – Tomen nota por lo menos de las cosas más importantes que se hablan y las decisiones más importantes que se alcanzan.

Obedezcan el orden del día – No caigan en discutir cosas que no tienen relación directa con los puntos del orden del día. Es fácil descarrilar una conversación difícil con una distracción placentera que les gusta más a ambas partes. De igual manera, agreguen nuevos puntos en el orden del día si hay una necesidad genuina y si las dos partes están de acuerdo.

Horario – Dado que nada molesta más a la gente que las reuniones que se pasan de la hora, no introduzcas tensiones innecesarias en la reunión despertando el fantasma de pasarse de hora. Si entre los dos decidieron tener una reunión de veinte minutos o media hora, no se queden una hora. Uno de los dos, o los dos, terminaría resintiéndolo, y las decisiones que se tomen probablemente no serán las mejores.

No interrumpir – Esto es en realidad sentido común y respeto, pero no interrumpas a tu pareja. Hay que separar un tiempo con buen sentido. Si eso significa tener en cuenta los horarios de sueño del bebé o el partido de fútbol de Sara, entonces eso hay que hacer. Los niños no deberían poder entrar en esta reunión, de la misma manera que no pueden entrar en el cuarto cuando ustedes hacen el amor. Éste es un intercambio íntimo, aunque sea de una clase muy distinta, y deben permanecer entre ustedes. Si en la casa vive alguien más, entonces pidan que les respeten el tiempo juntos, que se vayan de la casa, o que permanezcan en otro espacio, donde no los puedan distraer.

Total atención – Así como no te gustaría que tu pareja revisara la chequera o mirara el marcador del partido de fútbol durante un encuentro íntimo, tienes que ser respetuoso de este tiempo con ella. Esto es parte de ayudarse el uno al otro. Apaguen los teléfonos. No revisen el email. Estén, simplemente, juntos.

No insistir – Insistir en tener siempre la razón, o en estar siempre en control, sólo crea conflictos innecesarios. Túrnense el papel de moderador cada semana. Permítanse decir lo que cada uno tiene que decir. No interrumpas sin necesidad. Muéstrale a tu pareja cuánto confías en ella.

Apertura – Parte de lo divertido de estar casado es que nunca conoces de verdad del todo a tu pareja. Estas reuniones son para generar nuevas ideas. No las desconozcas. Permite que las ideas fluyan. Prueba cosas nuevas mentalmente, deja que las intervenciones de tu pareja te influyan, y viceversa.

A continuación encontrarás un ejemplo de Orden del Día.

Puntos de Rachel:

- Finanzas – Cuentas de los autos; planeando vender la camioneta después del primer año, ¿vale la pena mientras tanto? ¿Cómo manejamos el preescolar de Sara? 5-7 minutos
- Niñera – El cuidado diario está bien, pero Rachel no está satisfecha con la chica vecina que ha venido por los fines de semana. ¿Pedimos recomendaciones a la gente en la iglesia el Domingo? 2-5 minutos
- Eventos especiales – ¿Qué hacemos con Halloween? Cumpleaños de Sara la semana siguiente. ¿Combinamos los dos eventos o los separamos? Si la llevamos a pedir dulces, ¿quién se queda en casa? 8-10 minutos
- Vacaciones – ¿Cuánto cuesta una cabaña por una semana? ¿Vale la pena ir a acampar con un niño de cuatro años? 5 minutos
- Regalos – Cumpleaños de Sara: ¿algo grande o esperamos a Navidad? Además, cumpleaños de mamá la primera semana de Noviembre. ¿Ideas? 3-5 minutos

Puntos de Kyle:

- Finanzas – ¿Ideas para reemplazar la camioneta que vamos a vender? ¿Vender la guitarra? Podría ayudar con la matrícula. 5 minutos
- El césped y el mantenimiento – Las hojas están empezando a caerse. ¿Qué hacer con ellas? 2-3 minutos
- Mantenimiento del auto – Hay que cambiar el aceite y los filtros del Acura antes del invierno; llantas de invierno para el auto, ¿esperamos a la camioneta? 5 minutos
- Remodelación – Presupuestos para la ducha del baño del sótano. ¿Vale la pena? Además, todavía hay un problema con el inodoro de arriba. ¿Plomero? 5 minutos
- Viaje de negocios – La hermana de Kyle se ha ofrecido a venir a ayudarle con Sara cuando Rachel esté por fuera. ¿Detalles? 2-3 minutos

- Iglesia – Siempre en apuros los domingos. ¿Hablamos sobre una misa más tarde? 3-5 minutos

Para que la reunión sea eficiente, puede que sea buena idea combinar ciertos puntos del orden del día. Por ejemplo, en el ejemplo de arriba tanto Kyle como Rachel quieren hablar de vender la camioneta. En vez de pasar por todos los puntos de Rachel y luego todos los de Kyle, sería bueno combinar las discusiones sobre finanzas, e incluso sobre el mantenimiento de los autos, para que la conversación no empiece, pare, y empiece de nuevo.

Otra cosa que es importante hacer periódicamente es dedicar algunos minutos a evaluar la efectividad de las reuniones. Esto es más importante al principio de la relación, pero, en general, cada tres o cuatro veces valdría la pena preguntarle a tu pareja: ¿esto está funcionando bien para ti? ¿Cómo podemos usar mejor el tiempo? ¿Hay maneras más eficientes, más justas, más razonables de discutir estas cosas? Al principio tendrán la tentación de abandonar del todo las reuniones, de hablar del auto el Sábado por la mañana cuando él salga al trabajo, o de hablar de la matrícula cuando ella empiece a girar el cheque. ¡NO CAIGAN EN ESTA TENTACIÓN!

El problema es que si esperan al Sábado por la mañana o a la tarde de Domingo en que él le dedica tiempo al auto o al prado, será una conversación no planeada, probablemente dure más, puede que nunca resulte en conclusión alguna, e incluso le habrá quitado a él su tiempo con el auto. De la misma manera, si la conversación sobre la matrícula tiene lugar sólo cuando está girando el cheque la semana del plazo, y él ofrece vender la guitarra, puede que terminen tomando la decisión apuradamente, mientras que, si planean una conversación al respecto, habrá oportunidad de que ella sugiera alternativas. Estas reuniones son oportunidades, le dan a tu pareja la oportunidad de ser tu pareja, de escuchar tus preocupaciones y ofrecer ideas que tal vez no se te ocurrirían a ti, de lograr algo que no podrías lograr tú solo.

Manteniendo la simplicidad

La clave de las buenas reuniones de pareja es que todo sea siempre simple. La reunión no es el momento de discutir las complejidades de la deuda nacional o del mercado de bienes raíces. No se permitan distraerse con cosas que estén apenas relacionadas con los puntos en cuestión. No mezclan los puntos del orden del día, y no cambien el orden, a menos de que ambos estén de acuerdo. Y nunca usen estas reuniones periódicas como una ocasión para desahogarte con tu pareja, o incluso para cosas constructivas como evaluar su desempeño en la pareja,el cheque emocional, o la falta de beneficios. Eso destruiría la confianza que los dos necesitan para que estas reuniones funcionen efectivamente, y además conspirará contra la posibilidad de discutir aquellas otras cosas de la manera más adecuada y en el momento más apropiado.

Casi todas las empresas saben que es más productivo hacer reuniones frecuentes pero cortas que hacer reuniones largas pero esporádicas. Una reunión de 20-30 minutos cada dos semanas es más productivo que una reunión de una hora cada mes, entre otras cosas porque habrá menos qué discutir, y los puntos de ambos habrá que tratarlos en tiempos cortos y más manejables. Además, la complejidad puede ser destructiva. Alista los puntos de tu orden del día la noche anterior a la reunión, para dárselos a tu pareja por la mañana del día de la reunión. De esa manera el que modera esa reunión puede combinar los temas que van juntos, e incluso ver qué cosas se pueden dejar para la próxima reunión. A veces esa decisión es simplemente práctica, pero otras veces puede deberse a una cuestión de sensibilidad. Supongamos que en una reunión dada hay tres cosas principales por discutir: las notas de la hija, el prado en el verano y el pago de la deuda de estudios. Las notas de la niña son una situación que probablemente resulte emocionalmente delicada para ambos. La cuestión de la deuda probablemente tiene un plazo el tiempo. Entonces, a menos de que haya que hacer o decidir algo para el prado hoy, o en las próximas dos semanas, es de sentido común dejar el prado la próxima reunión, y tratar hoy los asuntos que requieren atención más inmediata.

Otra técnica consiste en diseñar el orden del día de una manera que optimice el efecto emocional de la reunión. Por ejemplo, algunas veces será bueno empezar con las cosas divertidas y fáciles antes de tratar los temas más complicados. Otras veces será bueno hacer lo opuesto: lidiar primero con lo difícil, pero asegurándose de que al final de la reunión hay un "premio", para mantenerlos motivados. Ocasionalmente (aunque debería ser muy ocasionalmente), convoquen una reunión extraordinaria para tratar un tema especial. En el último ejemplo, las notas de la hija no iban bien; este bien podría ser momento para una reunión extraordinaria, probablemente justo antes o después de una reunión familiar con la hija en cuestión. Además, consideren bien de qué tipo de reunión se trata. ¿Va a ser sobre todo de discusión, de tomar decisiones, de resolver problemas juntos, o va a ser simplemente compartir información, coordinar horarios, planear el mes? El carácter de la reunión, dado por los puntos del orden del día, determinará en gran medida el tipo de reunión, y puede incidir en el lugar, el momento, y la manera de la reunión.

Por último, una forma "a toda prueba" de empezar bien una reunión, especialmente cuando hay temas difíciles, es empezar con una oración. Puede que al principio sea difícil, especialmente si todavía no han desarrollado la confianza de orar juntos. Es cuestión de hacer una pausa y pedirle a Dios que bendiga este tiempo juntos, que esté presente con ustedes cuando se acerquen a los puntos importantes, que les dé la sabiduría para tomar buenas decisiones juntos, la apertura para escuchar las buenas ideas del otro e influirse el uno al otro, y la claridad de ver la acción de Dios en la otra persona. También es bueno dar gracias a Dios al terminar la reunión, así como tomarse unos momentos para reafirmar al otro por sus contribuciones a la reunión y al buen orden de su vida en común. Sean respetuosos de las diferencias de creencias y estilos de oración (por ejemplo, si uno de los dos no es católico, no empiecen con un Ave María), y genuinamente atentos a la manera en que Dios los está guiando en el curso de la reunión.

Retiro, reenergización, renovación

La palabra "retiro" hoy en día es una palabra muy cargada en el contexto de una iglesia. Hasta los años cincuenta, sólo los sacerdotes o las monjas se iban de "retiro", generalmente una semana al año en un monasterio estricto y silencioso. En los sesenta el "retiro" se tornó más social: un grupo de personas se iba por unos días o un fin de semana, para pasarlo en oración, compañía, y con charlas de aliento espiritual. Muchas veces esos retiros tenían un tema, y llegaron a asociarse con movimientos como Cursillo, TEC y Lifeteen. Eventualmente aparecieron retiros específicamente de pareja, cosas como Encuentro Marital, Encuentro de Comprometidos y Retrouvaille. Puede que hayas oído de esos retiros, y puede incluso ser que el párroco de tu diócesis les haya exigido ir a uno como parte de su preparación matrimonial. Todos esos modelos todavía existen hoy en día: los sacerdotes y los religiosos todavía deben ir "de retiro" por una semana al año, y existen retiros de variadas duraciones, diseñados para todo tipo imaginable de grupo religioso.

Las empresas también hacen retiros, muchas veces para que los ejecutivos tengan un tiempo juntos lejos de la oficina, y hagan planes de largo plazo, impongan nuevos objetivos para la organización, evalúen la situación presente y generen nuevas ideas. Sea cual sea el contenido de este retiro de negocios, generalmente se enfoca más en asuntos de alto nivel que en la operación diaria, que se trata en las reuniones de personal.

Sea que hayas estado o no en un retiro, es absolutamente esencial que tu pareja y tú se tomen un tiempo en otro lugar con el propósito de recargarse y renovar la relación. Antes el dicho era: "los curas se van de retiro y la gente se va de vacaciones", pero ahora todos tenemos la oportunidad, y tal vez incluso la obligación, de encontrar tiempo específicamente para lo que es más importante para nosotros. La razón por la que la Iglesia les exige a los sacerdotes y religiosos que hagan un retiro es porque la vida de un sacerdote puede ser bastante ocupada: dirigir una parroquia, administrar los sacramentos, visitar a los enfermos, cuidar de los pobres, supervisar una escuela; en medio de todo eso hasta un sacerdote puede perder de vista su propia vocación, todo ese conjunto de oración, estudio y buenas obras en que consiste su propio camino hacia Dios. Lo mismo es verdad de las parejas de casados: la casa, las cuentas, los hijos, los suegros, el trabajo, la escuela, los amigos, las obligaciones sociales, los pasatiempos, e incluso la iglesia, se pueden entrometer en el camino o distraernos de la Misión del Amor: nuestro camino a Dios a través de nuestra pareja. La razón por la que la Iglesia considera al matrimonio un sacramento es que tu pareja es el muy particular camino que Dios está probando para salvarte; tú última esperanza, y la mejor, de llegar al cielo está con esa persona que duerme al lado tuyo todas las noches. ¿Qué puede ser más importante que cuidar eso?

Así que, periódicamente, por lo menos una o dos veces al año, deben tomarse un tiempo lejos. Idealmente, será fuera de su casa, apartamento o condominio. Los hijos no podrán ir; deberán quedarse con alguien más durante ese tiempo. Ustedes no deben estar disponibles para la familia o los amigos. Esto es para ti y tu pareja; es parte de la razón por la que se casaron, y no se pueden cumplir las otras razones (servicio a Dios y al prójimo, símbolo del amor de Cristo por el mundo, etc.) si primero no cuidan juntos de su relación. Se puede ser creativos en la manera de hacerlo. A veces buscarán ofertas en hoteles o en un spa, o tal vez les gusta acampar y la naturaleza es un sitio mejor para que se vayan los dos juntos por un tiempo. Si ya tienen planes de vacaciones, entonces lo mejor podría ser tomarse un día o dos durante ese tiempo (manden a los niños a un curso de vacaciones, o visiten a viejos amigos y dejen a los niños jugar juntos). A veces, por necesidad (económica, de salud, u otra) hay que tomarse el "retiro" en el hogar, pero aún así el lugar debería cambiar en algo durante este período. Apaga los teléfonos y las computadoras, y desconecta el módem por un día. Pónganse de acuerdo desde antes en qué hacer con la comida: puede ser buen momento de cambiar quién cocina y quién limpia, a tal vez de acordar una manera diferente de hacerlo juntos. Cambien las sábanas. Saquen su mejor mantel. Hagan de este día, de cualquier manera que puedan, diferente, distinto, incluso sagrado.

¿Qué hacer durante este tiempo? Al igual que con las reuniones de pareja, se necesita una orden del día, aunque tal vez no hay que seguir los lineamientos del horario de la misma manera. Lo que de verdad se necesita es la Visión y los Objetivos de la Relación, tu Logotipo marital, sus Descripciones Laborales, el paquete de Compensación y Beneficios y sus listas de motivadores, los comentarios del Entrenamiento en la Virtud, y más especialmente, el uno al otro. Es un tiempo para pausar y evaluar las cosas, con tranquilidad, reflexión y oración. Observen qué funciona bien y qué no, e inventen nuevas maneras de hacer las cosas mejor.

El orden del día debe consistir de tres o cuatro grandes bloques de tiempo (una hora por lo menos), en los que puedan cubrir lo siguiente:

Revisen, re-evalúen o re-adopten la Visión y los Objetivos de la Relación. ¿Todavía se encuentran en el mismo lugar? ¿Qué ajustes hay que hacer? Un buen ejercicio para este tiempo consiste en nombrar dos o tres momentos del último año en el que conscientemente cumplieron su Visión.

Pónganse al día en la situación económica general de la familia. Esto es especialmente importante si uno de los dos es el principal encargado de las finanzas familiares. No endulcen la verdad; si las cosas están difíciles y hay que empezar a apretarse el cinturón, hablen abierta y honestamente de qué es razonable empezar a recortar. Si las cosas van bien y hay una reserva extra, hablen de cómo gastarla, ahorrarla o invertirla.

Discutan asuntos de largo plazo que afectan su vida común. ¿Cómo va la salud de sus padres? ¿Qué planes tiene la familia para cuando ellos empiecen a necesitar más cuidado? ¿Estás cómodo con esos planes? ¿Y qué hay de tu propia salud y la de tu pareja? ¿Es momento de tener otro hijo? ¿Es momento de no tenerlo?

La parte más importante del retiro es la "reunión de evaluación" formal de la que hablamos en un capítulo anterior. Esto se puede hacer fuera del retiro, pero de verdad no deberían dejar pasar estos días de retiro sin hacer sus evaluaciones. Esto puede significar que hablen de la Relationship Covenant, de las Descripciones Laborales, los paquetes de Compensación y Beneficios, y la manera general en la que tu pareja está cumpliendo con sus obligaciones, no sólo hacia ti sino hacia Dios y hacia La Misión del Amor. Aquí no habrá sorpresas, porque los dos han estado halagándose, cuestionándose y corrigiéndose el uno al otro todo el año. Este es ciertamente un buen momento para corregirse mutuamente, pero lo más necesario para discutir esos cuestionamientos es una atmósfera de amor y reafirmación. "Yo estoy todavía aquí porque así lo quiero", le dices a tu pareja, "y quiero estar aquí porque todavía creo en nosotros y en lo que le podemos ofrecer al mundo".

El retiro implica trabajo duro interno y externo, pero también debe ser divertido. En medio de las "sesiones de trabajo", busquen recreación juntos: en la piscina, buceando, caminatas, golf, masajes, lectura, música, cocinen y coman juntos, jueguen juntos. Y para nada se sientan culpables, especialmente si tienen hijos. Esto es parte de ser buenos padres. No es indulgencia, es cuidado de sí mismo. Si les cuesta un poco de trabajo imaginarse un fin de semana como este, intenten un retiro grupal para empezar. Pregunta en tu parroquia: ahí deben tener información sobre el próximo evento de la diócesis. Esto te puede ayudar a "arrancar" para empezar a planear fines de semana solos.

Hallen la manera de incorporar también la oración. Definitiva-mente al principio y al final de las sesiones, sobre todo las sesiones de crítica. Más que eso, sin embargo, hallen el tiempo para estar en silencio juntos. Miren un atardecer juntos y maravíllense de la belleza de Dios. Oren sobre sus pasajes favoritos de las escrituras. Cuando lean su Visión recuerden también sus votos matrimoniales; oren por ellos y hablen sobre ellos, sobre cómo todavía son su ideal, cómo los cumplen bien, y cómo a veces no tan bien. Vayan a Misa en la parroquia cercana, o a una hora de Adoración Eucarística (esto es una buena idea sobre todo la semana anterior, para entrar en el humor de un retiro). Vayan a la confesión juntos, y cuando tu pareja esté con el sacerdote pasa el tiempo de rodillas en la iglesia, orando por ella y por su relación con Dios. Ponte en Presencia de Dios y déjale a Él presentarse a ti.

Por último, este tiempo de retiro es un tiempo muy apropiado para hacer el amor. Muchas otras cosas entran en esto: salud, estado emocional, preocupaciones reproductivas, y todo lo demás; pero es bastante obvio que son aquellos días en los que están observando con intención su vida en común los mismos días en los que se deben re-comprometer mutuamente en alma *y* en cuerpo. La Iglesia enseña que cada vez que la pareja casada hace el amor está entrando en un acto sacramental, sellando de nuevo el compromiso que hicieron ese día en el altar. Puede que no se sienta siempre así, y puede que no se sienta así en el retiro, pero el sexo sano, santo, es una de las mejores maneras de asegurar la salud y estabilidad de la relación.

Conclusión

Cuando vuelvan del retiro van a sentirse refrescados en cuerpo y espíritu. Ese tiempo juntos les debe haber hecho recuperar la perspectiva y salir de nuevo a conquistar las metas que se impusieron tanto tiempo atrás. No serán perfectos, pero si logran entrar en ese tiempo abierta y honestamente, poniendo los mejores esfuerzos para estar presentes el uno para el otro y para el Espíritu Santo, su matrimonio saldrá reforzado, y ustedes serán mejores cónyuges de lo que han sido hasta acá.

Resumen

- ¿Por qué son importantes las reuniones? Propón un ejemplo de por qué las "reuniones espontáneas" o la conversación normal no han funcionado en tu vida diaria.
- Identifica días y horas que sean buenas para reuniones periódicas.
- Lista por lo menos cinco características de las buenas reuniones de pareja.
- Discute con tu pareja la posibilidad de agregar un "día de retiro" a sus planes de vacaciones, o de apartar un tiempo antes o después del viaje.
- Habla con tu pareja de por qué los retiros son importantes para ti, y sobre cómo incorporar uno en sus ocupadas agendas.

Capítulo 11:
La oración:
la última frontera

Este es el último capítulo del libro, pero es el fundamento mismo de *La Misión del Amor* como un todo. Ahora seguro que habrás visto que tu amor tiene un propósito, y que la dicha y la satisfacción más grandes vendrán cuando finalmente logres ese propósito, esa meta, esa misión. Pero *la Misión del Amor* no es un invento nuestro, no es sólo un producto de la imaginación, ya sea la tuya o la de ustedes. Más bien, es una vocación, una llamada de lo alto, una misión divina que te ha sido dada por el mismo Dios que te creó.

Objetivos

- Poder explicar la importancia de la oración en general, y por qué es vital en la vida de la pareja.
- Resumir las razones principales por las que muchos encuentran difícil la oración, tanto solos como en compañía, y ofrecer algunas respuestas básicas.
- Entender mejor la vida litúrgica y devocional de la Iglesia, y cómo puede enriquecer la vida de tu pareja y tu familia.
- Articular el poder formativo de la liturgia y las devociones en la vida familiar.

Viendo la cosas bajo una nueva luz

Imagínate que un profesor de kindergarten les pidiera a sus alumnos que dibujaran lo que quisieran en una hoja de papel. Los niños lo harían con gusto y dibujarían varias cosas, algunas simples, algunas abstractas, tal vez incluso algunas extrañas. Si entonces el profesor colgara los dibujos en el corredor a la vista de todos, es probable que hubiera quejas de otros alumnos, porque, para ser francos, seguramente los dibujos no van a ser de muy buena calidad. Pero ahora imagínate que los padres de estos niños vieran el dibujo de sus hijos en ese corredor. Para ellos el dibujo sería lo más hermoso del mundo, y esto no tiene nada que ver con un estándar artístico objetivo. No es que no puedan ver las imperfecciones, la falta de proporción o los colores desbordando las líneas, sino que el hecho básico es que los padres saben de dónde salió ese dibujo. Esos padres aman tanto a sus hijos que sus creaciones y sus expresiones generan una dicha sincera y duradera en sus corazones. El arte de sus hijos siempre es la mejor, o por lo menos es siempre la que más les gusta, porque es *de sus hijos*.

Cuando tú observas a tu pareja pasa algo similar. Tu pareja es un don mucho más hermoso aún, y eso dice mucho de Aquel que la creó. En verdad, entre más nos enamoramos del Creador, más nos enamoramos de la persona que Él creó para nosotros. No es que nuestro aprecio nos ciegue a las imperfecciones, sino que nos abre los ojos a una vista más profunda, la vista de los ojos de Dios, de la mayor belleza inherente a la pareja, como la imagen y semejanza de Dios que es.

Esa es la importancia de la oración. Oración es relación. No es simplemente un medio de comunicación o un habla especializada. La oración no es nada más y nada menos que la relación continua que uno tiene con Dios. En la tradición católica hay muchos tipos de oración, tantas que a veces puede parecer abrumador. Pero esto no es gran sorpresa. Así como la gente viene en una variedad infinita, así mismo esa gente tiene infinitas variedades de maneras de relacionarse con Dios. Pero en el corazón de toda oración auténticamente cristiana está *la comunión* con Dios, un enamoramiento constante y siempre creciente de nuestro Creador. Esta relación profundiza nuestra relación con Él, y abre nuestros corazones y nuestras mentes a Su voluntad omnipresente, sobre todo en cómo se revela en aquellos que Él nos ha dado a amar en esta tierra.

Empezando por casa

"Señor, permíteme conocerme a mí mismo", decía San Agustín. Él entendía que en el centro de toda oración estaba un profundo conocimiento de sí mismo. Santa Caterina de Siena hablaba de la "celda del conocimiento de sí mismo", o podríamos decir el estudio de la reflexión. No es que en la oración simplemente hablemos con nosotros mismos, sino que la comunicación con Dios necesariamente nos compromete a todo nivel – especialmente en esos niveles más íntimos e interiores donde habita nuestro verdadero yo y al que muchos casi nunca visitamo.

La palabra comunicación deriva del latín *communio*, que significa "participación mutua". Bien entendida, la comunicación no sólo es hablar y escuchar, sino entrar en una experiencia compartida con otro. La oración, siendo la comunicación con nuestro Señor, es entonces no sólo cuestión de hablar o – como refutan tanto Pablo como nuestro Señor en las escrituras – echar palabras al viento esperando que alguien nos escuche. Más bien, es una apertura radical de sí mismo a un encuentro con la fuente misma de la Vida y el Amor. Y como cualquier forma de comunicación, es diferente de individuo a individuo. Nuestro Señor tiene una *relación personal* con todos y cada uno de nosotros, y no viene a nosotros simplemente en un sentido genérico. Dios no es una abstracción, sino una persona, una comunión de personas, y por eso la Santísima Trinidad es el misterio central de nuestra fe. Como en el corazón mismo de Dios existe una comunión de personas – una experiencia común compartida – Dios sabe cómo es aquello de relacionarse con nosotros como individuos. Nos habla y nos conoce y nos ama; como individuos únicos, irrepetibles e irreemplazables. Para desarrollar una vida de oración es necesario "conocerse a sí mismo", hacerse consciente de los propios temperamentos innatos, y llegar a términos con las propias cargas.

Al principio son de crítica importancia los temperamentos y personalidades. Por ejemplo, para alguien que es extrovertido puede ser muy enriquecedor recitar el rosario en voz alta con otros seres amados. Sin embargo, un introvertido puede preferir recitarlo en silencio y en soledad, usando las palabras como un instrumento de concentración que le inmersa en la meditación de cada uno de sus Misterios. Ni lo uno ni lo otro está bien o mal, es bueno o malo. Como al crecer, uno simplemente tiene que aprender a conocer sus propias necesidades y deseos, actitudes e idiosincrasias, y después tenerlas en cuenta apropiadamente.

Esta no es una ciencia exacta, pero piensa en los momentos en que más realizado y amado te sentiste en tu propia relación con tu pareja. Usa esos momentos como guía. Hay razones por las que respondemos como respondemos en una relación, y lo mismo pasa con nuestra relación con Dios. Lo maravilloso de la gracia es que no se puede contener. A medida que cultivas una sana vida de oración, el torrente de gracia no sólo llevará a tu crecimiento y enriquecimiento, sino, como una hoguera en una noche de invierno, la gente a tu alrededor, especialmente tu pareja y tus hijos, sentirás sus efectos reconfortantes.

Como en todo, no nos podemos contentar simplemente con nuestras propias preferencias. Primero, como seres humanos, satisfacernos simplemente con lo que es placentero en el momento nos hace perdernos toda una variedad de otras experiencias. Segundo, y más importante, como miembros de la Iglesia tenemos una obligación hacia los demás. Por eso es que tenemos que aprender sobre la vida de oración de otros miembros del Cuerpo de Cristo y estar presentes en ella. La Iglesia lo asegura de una manera especial a través de la celebración semanal de la Eucaristía, pero también en el día a día a través de la vida de oración de otros miembros de nuestra familia. Especialmente en el caso de nuestra pareja.

Vamos juntos

Pocas parejas oran juntas, lo cual es probablemente una razón clave por la que tantos matrimonios fallan. Eso no quiere decir que si ustedes en este momento no están orando juntos su matrimonio está llamado al fracaso, o que si no convierten su casa en un mini-monasterio el divorcio siempre estará a la vuelta de la esquina. Pero el dicho es tan cierto para una familia de dos como es para una familia de quince: "La familia que ora junta, permanece junta".

Si en este momento tú y tu pareja no oran juntos, están como la mayoría. Los estudios muestran una y otra vez que la razón principal por la que las parejas no oran juntas es porque la oración es algo muy íntimo. Esto es muy significativo. Primero, los sentimientos de incomodidad que resultan incluso de la idea de orar juntos son precisamente el por qué deben orar juntos. Esos sentimientos tienen su raíz en que la religión no es simplemente un ritual, sino que nuestras creencias le hablan a lo más profundo de nosotros, lo que creemos es nuestro propósito, es cómo definimos lo que está bien y lo que está mal, e incluso cómo definimos la naturaleza misma de nuestra existencia. Tal vez no hay nada más íntimo para compartir con alguien más. No debe sorprendernos que seamos reacios a compartirlo. Sin embargo, ningún matrimonio ha funcionado jamás con sólo una fachada exterior o una serie de promesas rituales. En este sacramento la pareja se vuelve "una carne" en espíritu y en verdad; esto requiere darse por completo a la otra persona: no sólo una parte de ti, sino el paquete completo.

El matrimonio es un sacramento. Los sacramentos hacen tangible y accesible lo intangible y sobrenatural: Dios derrama sobre nosotros Su fuerza y Su gracia santificadora de una forma que podamos manejar. Piensa, por ejemplo, en la Eucaristía. El pan, incluso después de haber sido consagrado, todavía parece, huele, sabe, y se siente como pan ordinario. Pero algo – lo más importante, de hecho – ha cambiado. Lo que parece pan se ha convertido en Cuerpo, lo que sabe a vino se ha convertido en Sangre. El matrimonio, como sacramento, es lo mismo. Algo que sigue pareciendo dos vidas y formas de estar en el mundo distintas ha cambiado radicalmente; dos se han hecho uno, aún si todavía parecen ser dos. Y de la misma manera en que con la Eucaristía la presencia de Cristo perdura tanto como perdura lo que parece ser pan, así también en el matrimonio, mientras lo que parece ser dos perdure, será en realidad uno. El sacramento del Santo Matrimonio no es una ceremonia de Sábado en la tarde, es el conjunto de la vida de casados. Esto significa que todo lo que hacen el uno por el otro ha sido transformado por Dios, infundido de Su gracia, y hecho "sacramental", un canal viviente de la luz y la vida propias de Dios. Cuando llevas a cabo las promesas del día de la boda, haces tangible lo sobrenatural, haces presente lo eterno, vives la unión en "una carne" que tomó existencia cuando se profesaron los votos, y la renuevas una y otra vez.

Tanteando el camino

El punto es que orar en pareja es probablemente lo más íntimo que harán juntos. Puede ser año luz más íntimo que el sexo, y por eso es que para tantas parejas, casadas o no, es más fácil dejar de orar juntos que dejar de dormir juntos. Pero cuando se hace bien, la oración influye, afecta y transforma todos los aspectos de la relación – incluido el sexo. La vida en el hogar será mejor, la vida emocional será más fácil, la situación económica será más sostenible, y sí, incluso el sexo será mejor, no porque la oración lo cambie todo mágicamente o porque Dios sólo bendiga a aquellos que hablan con él, sino porque al mostrarle tu corazón a tu pareja, al darle algo que sólo Dios llega a ver, tu pareja te entenderá mejor y te amará más. Y tú a ella.

La oración en pareja puede ser tan sencilla o tan seria como quieran los dos: desde asistir juntos a los servicios litúrgicos (la Misa, la Adoración, el Oficio Divino, etc.) o recitar el rosario en la caminata matutina, hasta tomarse de la mano al despertar y agradecer a Dios por el regalo que es cada uno, sea en voz alta o en silencio. Dado que tú y tu pareja se complementan el uno al otro tanto en las diferencias como en las semejanzas, es probable que ciertos tipos de oración vayan bien con los dos, otros sean buenos para uno y otros para el otro. Recuerda que tu pareja tiene necesidades espirituales reales, y que tienes que tenerlas en cuenta. Lo que puede ser crucial para ella puede resultar aburrido para ti, pero tienes que hacerlo tantas veces como puedas, por su bien, y, lo que es más, tienes que aprender a encontrarle el gusto, así sea sólo por la paz y la dicha que le trae a ella. Por supuesto hay cosas como la Misa semanal que hay que atender, sea que "saquen algo positivo" de ellas o no, porque la Iglesia nos lo pide a todos y porque así es que empezamos a conectarnos con la comunidad cristiana en general.

La gratitud absoluta por la vida en pareja, en sí misma, debería ser suficiente para motivarte a entrar en esta parte de la vida en pareja. No es lo mismo darle gracias a Dios por tu pareja que agradecerle a alguien por abrirte la puerta o pasarte la sal. Dios te lo ha dado todo, literalmente, y en tu pareja Él te ha dado lo mejor que tienes. Y al comprometerte y cultivar esa gratitud en común te volverás más agradecido y amoroso con tu pareja también.

Lazos familiares

La oración en familia es importante no sólo por el vínculo afectivo de la pareja, sino porque también refuerza y comunica *La Misión del Amor* en el sacramento. Ustedes oran juntos todos los días por la misma razón que lo hacen los monjes y los sacerdotes de la Iglesia: porque la oración es lo que hacen los cristianos y porque, cuando los cristianos oran, oran juntos. Como hemos señalado en capítulos anteriores, tu familia es una "iglesia doméstica", la célula más importante de la sociedad y de la Iglesia. Así como cada parroquia tiene un horario de servicios, y cada casa religiosa vive de acuerdo a ciertas reglas de vida, así mismo tu hogar debe estar marcado por un patrón regular de oración, que articula el día y le da significado al trabajo, a la recreación, y a todo lo demás. No sólo es que la misión que recibiste en el sacramento del matrimonio es dirigirte a tu dicha y satisfacción últimas, sino que la manera en que llevas a cabo esta misión será la manera principal en que les legarás a tus hijos la fe y les enseñarás los valores más importantes. A través de la oración regular en familia educarás a tus hijos en su dignidad inherente y el alto llamado de su propia vocación cristiana, en el valor de la vida y el amor, y en el lugar que tienen ellos en la Iglesia y en el mundo,.

Rituales diarios

Uno de los misterios más grandes para la mente humana es la relación entre Dios y el tiempo. Dios es infinito y eterno, y aún así finito y temporal en la persona de Jesucristo en la Tierra. Jesucristo fue concebido por el Padre antes de todos los tiempos, y aún así existió siempre. De hecho, Jesús es la única persona que puede decir que Su existencia precedió a Su nacimiento. El tiempo también tiene un papel muy importante en nuestra salvación. Jesucristo, y el perdón de los pecados, no nos fueron dados en el momento en que Adán y Eva pecaron – tomó *tiempo* – . Se necesitaron varios milenios para preparar el camino para Cristo, y han pasado dos milenios desde este acto Redentor, a medida que nos acercamos paso a paso al Segundo Advenimiento y la ejecución final del plan de Dios.

> La economía de la salvación actúa en el marco del tiempo, pero desde su cumplimiento en la Pascua de Jesús y la efusión del Espíritu Santo, el fin de la historia es anticipado, como pregustado, y el Reino de Dios irrumpe en el tiempo de la humanidad. (*Catecismo de la Iglesia Católica, 1168*).

Así, la mala noticia para los mortales de esta tierra es que estamos atrapados en el tiempo. La buena noticia es que el tiempo no es un obstáculo para el culto y la adoración de Dios: está ordenado por Él y, como a través de toda la creación de Dios, Él ha de ser glorificado a través del tiempo.

Por esta misma razón existen las temporadas del Año Litúrgico existen en la Iglesia Universal. No son una celebración del tiempo en sí mismo, sino una participación en el sacrificio pascual eterno que se celebra dentro del tiempo. Las distintas maneras de orar y los misterios sobre los que reflexionamos en las distintas temporadas nos hacen entender más profundamente la totalidad del acto redentor de Cristo y nuestro culto de Cristo en el Santo Sacrificio de la Misa. La Misa es, en sí misma, perfecta y completa, pero al celebrarla de maneras distintas en diferentes tiempos se hace más clara la totalidad del significado contenido en ella. Es más: el Año Litúrgico le confiere unidad al cuerpo místico de los fieles de Cristo aquí en la tierra, en la medida en que todo el mundo participa de las mismas temporadas y tradiciones.

¿Qué tiene que ver todo esto con el hecho de estar casados? De nuevo, como pareja casada ustedes son la iglesia doméstica, la célula que forma el cuerpo místico de Cristo. Así como la Iglesia Universal celebra las varias temporadas litúrgicas del año, es importante que ustedes, como iglesia doméstica, participen también de estas temporadas. Es a través tuyo que tus hijos llegarán a entender los misterios más profundos de su familia más grande, la Iglesia en la tierra y en el cielo. Y mientras que es importante participar de algunas costumbres generales de la comunidad secular, es absolutamente indispensable que tu celebración se enfoque continuamente en los aspectos espirituales y litúrgicos: las razones espirituales de las estaciones. Walmart pone adornos navideños antes de Halloween, pero nosotros los cristianos celebramos de acuerdo a las temporadas, y el tiempo de preparación que ofrece el Adviento le da mucho más significado a la Navidad que *Frosty el muñeco de nieve* el Día de Acción de Gracias.

Nuestra visión del mundo y nuestro sistema de valores provienen principalmente de nuestra vida familiar, no sólo por lo que nuestros padres dicen y enseñan, sino por los feriados que celebramos y los ayunos que observamos, por las fiestas que tenemos y las celebraciones que nos saltamos. Para poder enseñarle a nuestros hijos qué es lo más importante, debemos poner nuestra atención en lo que la Iglesia nos ofrece en cada tiempo o celebración particular. Por supuesto, la meta no es simplemente saber todo tipo de datos del catolicismo, sino más bien vivir profundamente dentro de la tradición, de manera que con el tiempo el significado en su totalidad se haga más claro para todos los miembros de la familia, y la experiencia de llegar juntos a ese entendimiento nos una cada vez más profundamente como familia. Esto es lo que nos conecta, no sólo los unos a los otros, sino también a la comunidad católica en general. Como familia, mucho de lo que es nuestra identidad lo tomamos de la Iglesia, así que como católicos estamos conectados tanto dentro de nuestra iglesia doméstica como con los demás en la comunidad general.

Hay muchos ejemplos para cada fiesta y cada temporada. Se han escrito libros y páginas web enteras acerca de ello. Toda familia está invitada a aprender del rico tesoro de la tradición de la Iglesia. Pero en una sociedad secular que parece alejarse cada vez más de sus raíces cristianas, es importante hacer algunas distinciones. Poner la Corona de Adviento y cenar a la luz de las velitas, por ejemplo, es bueno para recordar que aunque las luces de Navidad ya estén por todas partes y la gente ya esté haciendo fiestas, nosotros todavía estamos esperando. Así mismo, la comunidad puede celebrar la Búsqueda del Huevo de Pascua el Sábado, antes del Domingo de Ramos, pero es bueno ayudarles a los niños (y a los adultos) a observar el ayuno y recordar la fiesta guardando los dulces hasta el Día de Pascua. Otra práctica excelente es llevar cosas de la vida diaria a los sacerdotes de la Iglesia para que las bendigan. Si tu hijo en secundaria recibe una nueva computadora o una tableta de Navidad, por ejemplo, diles que la traigan consigo a la Misa del domingo y le pidan al Padre que la bendiga después de la Misa. Esto ayuda a hacer sagradas las cosas que de otra manera veríamos simplemente como cosas seculares. No hay nada en nuestra vida cristiana en común que no pueda ser bendecido. Como familia, ustedes idearán su propio ciclo de fiestas y ayunos, y sus propias tradiciones particulares. Simplemente asegúrense de guiarte por las tradiciones de la Iglesia.

La oración litúrgica y las devociones

Como la iglesia doméstica participa en la vida general de la Iglesia Universal, tu vida de oración debe ser un reflejo de aquella Iglesia Universal. Esto significa, por lo menos, ir a Misa el domingo. Por supuesto esto puede ser difícil, y todos hemos pasado por momentos en que nos quedamos cortos, pero aquí no se trata de una regla tonat o un ideal abstracto. La Misa del domingo es importante por la misma razón por la que es importante la cena del domingo: necesitamos alimentarnos, *realmente alimentarnos*, en cuerpo y alma, por lo menos una vez a la semana. Y uno no puede pretender ser parte de una familia a la que nunca ve. A veces, cuando es posible, podemos ir a Misa – alimentarnoscon más frecuencia – y estar en contacto más cercano y frecuente con esa familia.

Pero la oración de la Iglesia es más que la Misa; están las ofrendas y los sacramentos. Casi todas las parroquias tienen un Servicio de Reconciliación Comunal durante el Adviento y la Cuaresma, y además puede que tu parroquia ofrezca confesión el Sábado, y tal vez durante la semana antes de la Misa diaria. Vayan a la confesión en familia, y trae a tus hijos contigo. Tu pareja los puede cuidar mientras tú estás con el Padre y viceversa. Si tus hijos ven que vas a la Reconciliación y te tomas en serio la lucha con tu propio pecado, tendrán más posibilidades no sólo de portarse bien, sino de apreciar cuánto significa la fe para ti. Lleva a tus hijos a bodas (con tal de que no haya una de esas provisiones tontas de "no traer niños"). Hazles ver lo que significa casarse. Así mismo, sigue con atención el boletín de la parroquia o el periódico de la diócesis. Cuando tus hijos hayan crecido, llévalos a ver una ordenación, para que vean cómo se hacen los sacerdotes y los diáconos. Llévalos a los bautismos de la familia y a las confirmaciones en la parroquia. Y si la abuela o el abuelo necesita la extremaunción, arregla con el sacerdote para que los niños puedan ver también eso. En esto, la familiaridad no trae desprecio, sino aprecio y alivio.

En los últimos años la Iglesia ha hecho un llamado a los laicos – esto es, a ti – para que participen más de los Oficios Divinos. ¿Has visto ese libro rojo o negro que el Padre siempre lleva consigo? Bueno, es una especie de manual de oraciones para los diferentes momentos del día, llamado los Oficios Divinos (esa es el trabajo que Dios nos ha dado), o la Liturgia de las Horas (porque en él hay oraciones para las distintas horas del día). Es una oración muy antigua, inspirada en la oración de los Judíos del Templo, que se compone sobre todo de salmos, pero también de lecturas, oraciones e himnos para las distintas horas del día. Es una manera de santificar el día entero y de observar juntos la admonición de Pablo: "ora sin cesar". Ahora bien, muchos intentan hacer esto comprando los libros y tratando de hacerlo todo en casa, y tal vez tú podrías hacer esto si tus hijos son bien educados, pero casi todo el mundo tiene que hacer ajustes. Sin embargo, el hábito de orar en la mañana, al final del día, y antes de dormir, es bueno para todo el mundo. La oración de la noche, especialmente, es corta y fácil. Se compone de un himno, uno o dos salmos, una breve lectura, una canción del evangelio, una oración, y después un himno muy especial a María (una especie de canción de cuna para la Iglesia). También se han desarrollados varias ayudas de culto, dirigidas especialmente a laicos ocupados, e inspiradas en la Liturgia de las Horas, que hasta la incluyen en todo o en parte. Estas ayudas muchas veces también incluyen la lectura de la Misa del día, que puede ayudar mucho incluso si no vas a Misa.

Devoto sin remedio

Y por último está la vida devocional de la Iglesia. Las oraciones que, aunque no son parte de la liturgia oficial de la Iglesia, nos acercan en corazón y mente a la celebración litúrgica. El rosario es un magnífico ejemplo. Todos hemos visto un rosario, y muchos aprendimos a recitarlo en la escuela o en la catequesis. El rosario es una buena oración, especialmente para las familias, porque todos, desde el niño que apenas sabe hablar hasta el anciano que casi no puede hablar, puede seguirlo. Lo único que hay que hacer es pasar las cuentas con los dedos y decir, por lo menos en la mente, el Padre Nuestro, el Ave María, y el Gloria. El rosario fue desarrollado para los campesinos analfabetos que no podían seguir los salmos (que estaban en latín), pero con los siglos se ha convertido en la devoción más popular en la historia de la Iglesia. Todo el mundo lo conoce, desde el campesino más pobre hasta el más sofisticado filósofo, y todo el mundo lo usa. Es algo muy bueno de enseñar a tus hijos desde temprano, de manera que tengan esa herramienta a disposición cuando las cosas se pongan difíciles.

Pero el rosario no es la única devoción de la Iglesia. De hecho, hay muchas devociones que tienen sus raíces directamente en las temporadas o las fiestas litúrgicas. Las coronas y los árboles de Adviento, los ayunos de Cuaresma, la Coronación de la Virgen María, las visitas a los cementerios el Día de Todos los Muertos, el tejido de los ramos, las cruces de las espadañas de Santa Brígida, la bendición de las velitas para la Fiesta de Presentación y de las gargantas el Día de San Blas, etc., etc. Hay prácticas étnicas relacionadas con algunas fiestas particulares que pueden ser importantes, y algo divertido es ayudarle a tus hijos a celebrar sus *Onomásticos*, o los días de sus santos. Esto ayuda a situarlos en el contexto de la historia de la iglesia, a darles raíces personales y espirituales, un modelo a seguir y un ejemplo a aspirar.

La razón de ser de las prácticas devocionales de la Iglesia no es darles más cosas que hacer a ti y a tu familia, y perder más tiempo aún en cosas de iglesia, o convertir tu casa en una ermita a Santa Fulana y celebrar hasta la fiesta más recóndita. No. Es ayudarte a poner la fe en el centro de tu vida familiar; en vez de dejarla como un fondo que sólo se nota en Navidad o en Pascua, ayudarte a que sea una fuerza vital y determinante que ofrece forma, textura, y profundidad espirituales. Por eso son tan importantes cosas que parecen pasadas de moda, como "consagrar" a tu familia a la Santísima Virgen María, o "entronizar" el Sagrado Corazón en tu hogar: no es que nos hagan más religiosos, sino que nos ayudan a ser más consistentes.

Conclusión

Siguiendo la analogía de la Iglesia como familia, las liturgias son como cenas de familia, y las devociones somo como los juegos en las fiestas o las salidas anuales. Tomando un ejemplo básicamente secular, si decimos que el Día de Acción de Gracias es un feriado realmente importante y formativo para la familia, que forma en nosotros el concepto de gratitud y nos ayuda a ser más amorosos y generosos, estamos pensando sobre todo en la cena familiar misma. Pero también nos referimos a toda una serie de eventos que llevan a esa cena y que la siguen: ayudar a cocinar desde la noche anterior, ver el partido de fútbol después, las cartas y los sándwiches de pavo por la noche, e incluso las compras tempraneras del Black Friday. Y al igual que en nuestras familias algunas devociones son para todo el mundo (es decir, todo el mundo lo mira *Es la Gran Calabaza, Charlie Brown* en Halloween), algunos son especialmente a ciertos miembros (usted y tres de sus primos siempre ir al cine el día después de Navidad, mientras que su cónyuges están regresando los regalos de Navidad). La meta es que veamos en la Iglesia el mismo tipo de variedad de prácticas, y también la manera en que esa variedad nos forma, el grado en que le permitimos formarnos.

Una palabra final: si en este momento se sienten intimidados por la idea de orar en pareja (más allá de las gracias antes de las comidas), mucho más imposible parecerá "entronizar el Sagrado Corazón en el Hogar" e ir a la Liturgia de las Horas de la parroquia de más allá. Todo bien. Nadie les exige hacerlo todo de un solo salto. Tienen toda una vida por delante para explorar la fe, pero les irá mejor, llegarán más lejos y serán más consistentes si empiezan desde temprano. Y no lo tienen que hacer solos. Hay literalmente miles de recursos, en Internet, en tu biblioteca católica local, en el app de teléfono que viene con este libro, y en tu parroquia. Habla con tu sacerdote, tal vez él puede incluso recomendar a alguna pareja un poco mayor para que los guíe, o habla con tus padres, o con la tía cuya familia siempre pareció mejor para todo esto que la tuya, o tu abuelo, o alguien más en quien confías. Hagas lo que hagas, lo importante es *hacer algo*, hacerlo ya mismo, empezar. Por lo menos, empieza con la "Oración de la Pareja", o mejor, escribe una oración tú mismo que puedan decir juntos a la noche antes de dormir. Como con todo lo demás que hemos presentado aquí, hazlo propio.

Resumen

- ¿Por qué es tan importante la oración, especialmente en la vida de una pareja?
- ¿Por qué dicen tantas parejas que orar en pareja es tan difícil?
- ¿Qué buenos ejemplos puedes tomar de la vida litúrgica o devocional de la Iglesia para incorporarlos en tu propia práctica

familiar? ¿Hay alguna tradición étnica o religiosa en alguna de sus dos familias que pueda servir como punto de partida?

- ¿Cómo van a orar juntos esta noche

Conclusión: Ite, Missa Est

Estas son las últimas palabras en la Misa y son notoriamente difíciles de traducir. Probablemente estés más familiarizado con: «La Santa Misa ha terminado. Podemos ir en paz.» , o algo similar. *Ite* significa «Vayan» , pero el problema es que «missa est» significa

Este libro comenzó preguntando: «Por qué estás leyendo este libro» Luego ofreció algunas posibles respuestas, pero esperamos que ahora entiendas mejor el por qué de que seas *tú* quien lo lee y, aún mejor, *ustedes dos*. A menudo, los libros parecen llegarnos en el momento justo de nuestras vidas; otras veces, llegan y los leemos con la intuición de que ahora no es el momento de leerlos, y entonces los guardamos y los leemos más tarde o los terminamos y volvemos a la normalidad. Ya sea que estés casado o por casarte, o bien alineado con la Iglesia o dudando seriamente de su doctrina, este libro te deberá haber brindado, por lo menos, una buena noción de lo que es posible en un matrimonio. *La misión del amor* que este libro propone no es fácil, pero sí es posible, y hay parejas alrededor del mundo que la están llevando a cabo en este momento. Pero no lo han logrado por sí solas, ni lo seguirán logrando por sí solas. Lo hacen en la Iglesia, con la Iglesia y para la Iglesia, en tanto que *son la Iglesia*. Esa es la *Misión* que se les ha dado a ti y a tu pareja, o que se les dará cuando se casen: compartir *juntos* la buena noticia de que Jesús ha resucitado de entre los muertos.

El primer día del resto de sus vidas

La vida cristiana es, a fin de cuentas, una vida de *conversión*. Conversión significa «dar vuelta». La conversión diaria, perma-nente, es la obra de la vida cristiana. No ocurre principalmente en la iglesia, sino en la oficina, en el hogar, en el carro yendo a la práctica de fútbol, en una cita en tu restaurante favorito. Aquello que encuentras en tu pareja que te lleva a querer ser mejor de lo que eres ahora, eso es lo que hace que tu pareja te ayude a salvarte. Así es cómo tu pareja te administra el sacramento del matrimonio. Así es cómo tu pareja te mantiene fiel al bautismo.

Lo mejor de la conversión es que nunca termina. Aun si te convertiste a la Fe como adulto, la obra de la conversión nunca, nunca termina. Cada día es el primer día del resto de tu vida – de sus vidas, *juntos*. Por esto es que el matrimonio es tan importante, y por eso es que tu pareja es tan importante para ti en particular. Las comedias románticas y los cuentos de hadas quieren hacernos creer que el destino o el universo o algún otro poder impersonal nos ha destinado el uno para el otro. Nuestra propuesta es aún más valiente: Dios ha hecho a tu pareja para ti – *para ti* – , para que los dos estén perfectamente capacitados para ayudarse en los momentos difíciles y para mejorarse en su carácter. Ustedes están destinados hacia lo más grande, el Cielo, y han sido creados para ayudarse a llegar allí.

Estar en el mundo, pero no ser del mundo

Cómo llegar al objetivo de su matrimonio es tan particular a ustedes como lo son ustedes mismos. Las deudas y los créditos, los vicios y las virtudes, las fallas en carácter y los compromisos serios: todo esto compone las personas que ustedes son. Tu pareja te ayuda a determinar la clase de cristiano que serás.

Ésta es una visión noble, pero no es compartida por todos. Muchos, hoy en día y por la mayor parte de la historia, han considerado el casamiento como un simple arreglo de conveniencia, o como una concesión a las normas culturales, o simplemente como «puro amor» (aunque no siempre queda claro qué significa el amor en ese caso). Por esta razón, los esposos cristianos están llamados de manera preeminente a «estar en el mundo, pero no ser del mundo». A través de la manera cómo viven su matrimonio – que debe ser diferente a cómo lo viven sus vecinos no cristianos – ustedes son testigos del Dios encarnado, de la vida, muerte y resurrección de Jesús. Ustedes traen la esperanza de que algo más vendrá.

Esta dinámica de «estar en el mundo, pero no ser del mundo» no es ni fácil ni obvia. El santo matrimonio hace que la pareja sea una «iglesia doméstica», de la misma manera que el bautismo hace que uno sea un «pequeño Cristo». Pero esto no quiere decir que haya que decorar la sala de la casa como si fuera un santuario, o que el esposo tenga que dejarse la barba y hacerse carpintero. Lo de «estar en el mundo» significa que ustedes viven en el mundo como todos los demás, tal como lo han hecho los cristianos desde el comienzo. Ustedes trabajan, juegan, cuidan a su familia, cumplen con sus responsabilidades, pagan sus impuestos, llevan a cabo sus deberes cívicos; sin embargo, no se detienen allí. Ustedes van más allá de cuidar a su familia: se hacen amigos de los pobres y de los vulnerables. Ustedes van más allá de pagar impuestos y de tomar decisiones responsables cuando votan, revelándoles a sus candidatos cuáles de sus políticas son objetables. Ustedes trabajan y juegan, pero trabajan y juegan *como cristianos*, conociendo la redención y el perdón de los pecados, dando a conocer cada vez que se pueda la razón por la cual hay tanta esperanza en ustedes. Pero dándolo a conocer de manera callada, sutil y sin pretensión.

Y aquello otro de «no ser de este mundo» también es importante. Es lo que no nos permite que callemos nuestro testimonio de Dios, no que causemos escándalo al vivir de la misma manera que todos los demás. Ustedes deben vivir de manera diferente porque son católicos. Los sacramentos – y, ante nada, el sacramento del Matrimonio – deberá alimentar y llenar su vida. Su creencia en la Eucaristía y en el poder de la Misa harán que ir a la iglesia los domingos sea mucho más importante que para cualquiera de sus amigos no católicos. Su compromiso con la verdad y el comportamiento virtuoso formará y determinará su conducta de manera diferente que a aquellos que no conocen a Dios, que es Verdad. Esto no significa que los cristianos sean más inteligentes, mejores o más virtuosos que cualquier otra persona. Lo que sí significa es que tenemos más y mejores razones para tener buenos matrimonios, más apoyo y asistencia (tanto interna como externa) y la promesa de Dios de respaldarnos a lo largo del camino.

Romance vs. intimidad

No es por casualidad que la palabra *romance* sea tan parecida a la palabra *romano*. Nosotros, los católicos, tan especialmente relacionados a Roma, tenemos tantas razones de ser *románticos* como cualquier otro. Y algunas de las mejores partes de nuestra tradición lo dejan claro: las relaciones entre Arthur y Guinevere, Robin Hood y Mariana, Dante y Beatriz, hasta John Kennedy y Jackie Onassis, son producto de esa tradición. El romance es una cosa buena, preciosa y santa cuando se usa correctamente, pero no es lo único.

Por sí solo, de la manera atontada y facilista en que se presenta hoy, el romance no es nada más que una emoción pasajera. Pero el romance sin compromiso es simplemente el reemplazo de la razón por la emoción. El romance sin fuerza idolatra la debilidad. El romance sin virtud es una excusa para el vicio. El romance sin intimidad nunca puede llamarse amor.

El amor – el verdadero amor, el amor que todos anhelamos y que la mayoría de nosotros hemos buscado, el que es de arriba hacia abajo, de adentro hacia afuera, que se siente desde las entrañas hasta la médula, el que mueve montañas y hace girar las estrellas – necesita de la intimidad. No se halla en los encuentros que duran una sola noche, ni en los amigos con beneficios, ni en la cohabitación para «ver cómo sale», ni en el «te quiero como eres y espero que nunca cambies». El amor significa pedir perdón, a menudo muchas veces al día, y significa decir: «te perdono», tantas veces como el perdón sea pedido honestamente. El amor a veces significa que tu pareja no te guste demasiado, o quedar herido por lo que te han hecho o por cómo te han tratado. El amor significa ver lo desagradable en el otro y amarlos a pesar de eso – y a veces *por* eso, no por lo desagradable en sí sino por cómo lidian con ello – . Además, el amor significa permitir que el otro vea lo que es desagradable en ti, que no te veo solamente en tus mejores momentos sino también en tus peores. Por esto es que el romance por sí solo siempre fallará. La galantería y la cortesía no son nada en comparación a la honestidad y la integridad. Cuando ella ve que tú no le abres la puerta o que no bajas el asiento del inodoro, ¿te seguirá amando? Y aún más, ¿podrá convertirte en el tipo de hombre que siempre abre las puertas y baja los asientos de los inodoros? ¿Puedes tú ayudarla a convertirse en la mujer fuerte, independiente y creativa que anhela ser? Puedes apoyarla en su trabajo y en el hogar? ¿Puedes ayudar con los quehaceres domésticos para que ella puede ir en pos de sus sueños? ¿Pueden contarse sus secretos más íntimos – y vivir?

¿Recuerdas aquella canción de John Mellencamp sobre «Jack y Diane»? Tiene razón: la vida continúa por mucho después de que la emoción de vivir se vaya. Pero la emoción de amar – de amar de verdad, de amar con el amor que el mismo Cristo mostró en la cruz – nunca se va, aún cuando las mariposas en el estómago ya se han ido. Lo más notable, sin embargo, es que aun esos pedacitos de romance y de emoción de vivir duran más y son más gratificantes cuando están anclados en la intimidad.

Libertad

«Cristo nos liberó para que vivamos en libertad», nos recuerda el apóstol, «por lo tanto, manténganse firmes y no se sometan nuevamente al yugo de la esclavitud» (Gálatas 5:1). ¿Qué es esta esclavitud? Esta esclavitud son las relaciones baratas y compromisos lánguidos que no llevan a nada. Es darse al otro, pero nunca del todo. Es invitar a Dios a la relación, pero solamente hasta un cierto punto. Es estar comprometido con la Iglesia, pero solamente hasta donde sea cómodo. Es cambiar tu vida lo suficiente como para sentirlo, pero no los suficiente como para no poder volver atrás. Es el falso bien que abandonamos cuando nos comprometemos con Cristo en nuestro matrimonio cristiano.

Entonces, ¿qué es la libertad? La libertad que mencionamos antes de pronunciar los votos matrimoniales es un buen comienzo:

- ¿Han venido aquí *libremente* y *sin reservas* para darse uno al otro en matrimonio?
- ¿Se *amarán* y se *honrarán* uno al otro como marido y mujer por el resto de sus vidas?
- ¿Aceptarán con amor a los hijos que Dios les manda y los educarán de acuerdo con la ley de Cristo y de su Iglesia?

La libertad, como la interpreta San Pablo y como la necesitan ustedes si quieren que su matrimonio sea exitoso, se refiere a la apertura radical al otro. Se trata de darse *absolutamente* y *sin reservas* al otro, de comprometerse *finalmente* a otro persona por el resto de la vida, de aceptar los regalos y las penurias que Dios les envía, de mantenerse fiel a la palabra de uno. Estos son compromisos serios. Se necesita de una verdadera libertad para aceptarlos. Y se necesita esa clase de libertad para que el matrimonio sea más que un arreglo cortés en el que se comparte propiedad y se tienen relaciones sexuales. Si ustedes quieren que su relación sea la realidad dinámica que promete ser, entonces deben tener la libertad interna y externa de darse al otro lo más que puedan, y de seguir creciendo en esa libertad de darse al otro a medida que pasa el tiempo. Cuando cumplan veinticinco, cincuenta y setenta años de casados, deberán poder decirse honestamente: «Te amo más de lo que pensé que sería posible aquel día, hace tanto tiempo» .

Eso es la verdadera libertad. Puede parecer imposible, y eso es lógico porque es imposible para nosotros solos. Pero con Dios todo es posible:

> Prometer un amor para siempre es posible cuando se descubre un plan que sobrepasa los propios proyectos, que nos sostiene y nos permite entregar totalmente nuestro futuro a la persona amada. La fe, además, ayuda a captar en toda su profundidad y riqueza la generación de los hijos, porque hace reconocer en ella el amor creador que nos da y nos confía el misterio de una nueva persona. (Francisco, *Lumen Fidei*, 52)

El regalo que son los hijos significa la «orientación hacia el otro» que la relación matrimonial toma, y es lo que nos permite darnos no solamente el uno al otro sino también, en servicio cristiano, a aquellos a quienes no conocemos.

Parejas para otros

Jesús fue un «hombre para otros». Las parejas cristianas, de la misma manera, necesitan ser «para otros» tanto individualmente como colectivamente. La forma precisa cómo se hace esto varía, como todo, según la pareja. A medida que crecen juntos, descubrirán las maneras a través de las cuales ustedes pueden brindarse mejor a los otros. Tal vez sea en términos de pasar uno o dos años en el exterior, como misioneros. Tal vez sea sirviendo comida en un comedor municipal una vez por semana. Tal vez sea donando dinero a las obras de caridad que más lo necesitan. Tal vez sea recibiendo más niños en su familia, o adoptando niños de aquí o de otro país. Tal vez sea siendo miembros dedicados de su parroquia o empleados civiles con una vida basada en una profunda fe. No importa de qué manera lo hagan, su servicio a los otros y el testimonio que le brindan al mundo es, últimamente, lo que determinará si pueden o no cumplir con su misión.

El darse uno mismo a los otros comienza en el hogar. Debes ser más generoso con tu pareja que con cualquier otra persona en el mundo. Es la razón por la cual se entregan sus cuerpos: no por comodidad ni para evitar un mal, sino para hacer el máximo bien que pueden. En su vida juntos – haciendo el desayuno, cortando el césped, cuidando a la madre de ella o al padre de él, aprendiendo a bailar juntos, aprendiendo a hacer jardinería, quedándose hasta tarde en el trabajo, despertándose temprano para ir a correr, cambiando pañales, alimentando a los hijos en el medio de la noche, lidiando con los caprichos de los pequeños o las rabietas de los adolescentes o las desilusiones de los adultos – aprenden a «ser para otros» siendo «para el otro» que es su pareja.

La vida de los esposos cristianos debe ser profundamente eucarística. Esto quiere decir, por supuesto, que deben recibir regularmente la eucaristía, pero también quiere decir – más profundamente – convertirse en aquello que reciben y adoran. Quiere decir con sus propias vidas lo que el sacerdote dice con sus palabras: «Éste es mi cuerpo. . . Ésta es mi sangre. . . para ustedes. . .» Primero para tu pareja y luego, juntos, para la Iglesia y el mundo.

Signos sacramentales

En esto queda claro cómo el matrimonio es y debe ser un sacramento. Ustedes son signos, y juntos son signos que no podrían ser estando separados. Son signos del amor de Dios, del cuidado de Dios, de la presencia de Dios entre y para su familia humana. Ustedes se comunican la gracia de Dios el uno al otro en su vida juntos, y juntos hacen lo mismo a aquellos que los conocen. Ustedes están llamados, tal como aquellos en las diferentes órdenes o las vidas religiosas, a dar a conocer a Cristo.

Y lo que es más, como ministros del amor redentor de Dios hacia el mundo, tenemos la suerte de participar en el mismo misterio que nos salva. Así como un sacerdote es salvado por el Misterio Pascual que celebra cada vez que celebra la Misa, también la pareja cristiana es salvada por el mismo misterio, el cual celebra cada vez que cena, hace el amor, mira una puesta de sol o le corta el césped al vecino. En tu pareja, Dios ha elegido envolverte en el misterio más grande de todos, que es la razón por la cual en tu pareja tienes una degustación previa de lo que vendrá en el cielo. Y, aunque sea difícil de creer, tu pareja tiene lo mismo en ti.

Señales de esperanza

Cuando el Papa Honorio III confirmó la Orden Dominicana hace casi 800 años, llamó a los domínicos «campeones de la Fe y de la verdadera luz del mundo». Los domínicos ciertamente han sido eso a través de los años, pero no tienen monopolio en el mercado. Cada uno de nosotros es llamado, en virtud del bautismo, a ser lo mismo. Has sido transformado, primero por un misterio que probablemente no recuerdes recibir y ahora, diariamente, por un misterio que recuerdas recibir pero que se sigue desarrollando ante tus ojos. Por momentos, nada te va a sorprender o confundir tanto como tu pareja y tu relación. Nada te va a hacer enojar tanto ni te va a poner tan triste; pero, si todo sale bien, nada te va a dar más alegría o más paz o más esperanza. Tu pareja será para ti un sinónimo del cielo, de las cosas buenas, y tú serás lo mismo para ella.

Y juntos, serán sinónimos de ese «algo más» que ronda en la vida diaria. Ese «algo más» que conocemos como «fe», y la fe que conocemos primera y principalmente en el seno familiar.

> Asimilada y profundizada en la familia, la fe ilumina todas las relaciones sociales. Como experiencia de la paternidad y de la misericordia de Dios, se expande en un camino fraterno. En la « modernidad » se ha intentado construir la fraternidad universal entre los hombres fundándose sobre la igualdad. Poco a poco, sin embargo, hemos compren-dido que esta fraternidad, sin referencia a un Padre común como fundamento último, no logra subsistir. Es necesario volver a la verdadera

> raíz de la fraternidad. Desde su mismo origen, la historia de la fe es una historia de fraternidad, si bien no exenta de conflictos. Dios llama a Abrahán a salir de su tierra y le promete hacer de él una sola gran nación, un gran pueblo, sobre el que desciende la bendición de Dios (cf. Gn 12,1-3). A lo largo de la historia de la salvación, el hombre descubre que Dios quiere hacer partícipes a todos, como hermanos, de la única bendición, que encuentra su plenitud en Jesús, para que todos sean uno. El amor inagotable del Padre se nos comunica en Jesús, también mediante la presencia del hermano. La fe nos enseña que cada hombre es una bendición para mí, que la luz del rostro de Dios me ilumina a través del rostro del hermano. (Francisco, *Lumen Fidei*, 54)

Al fin y al cabo, es la fe la que hace que el amor sea posible. El tipo de caridad que Cristo mostró por Su Iglesia, que se extiende a cada criatura del universo – ese tipo de caridad, ese tipo de amor, es demasiado grande para nosotros. La mayoría de nosotros puede solamente manejarlo una sola vez en la vida, con una persona, y aún así ocasionalmente. Pero cuando lo logramos, cuando logramos permitir que la gracia de Dios se manifieste, cambiamos, nos convertimos en más de lo que éramos, más de lo que pensamos que podríamos ser. Es la razón por la cual nos casamos y la razón por la cual tenemos hijos. Y es la razón por la cual casarse cambia la vida: no solamente cambia la vida de la pareja sino la vida de aquellos a quienes la pareja conoce y conocerá. Es porque el mundo necesita – no, en realidad *vive de* – este tipo de amor, así sea que todos se dan cuenta ahora o no. Y este tipo de amor, esta clase de fe, te alista. No solamente los prepara: les da también la capacidad de hacer algo que no habrían podido hacer antes. Hace que los dos juntos sean infinitamente mejores que lo que habrían podido ser separados, y les da la oportunidad de cambiar el mundo para siempre.

Epílogo: Símbolo, sexo y sacramento

«Él, respondiendo, les dijo: ¿No habéis leído que el que los hizo al principio, varón y hembra los hizo, y dijo: Por esto el hombre dejará padre y madre, y se unirá a su mujer, y los dos serán una sola carne? Así que no son ya más dos, sino una sola carne; por tanto, lo que Dios juntó, no lo separe el hombre.»
– Mateo 19:4-6

«Por [el Sacramento del Matrimonio] los cónyuges son corroborados y como consagrados para cumplir fielmente los propios deberes, para realizar su vocación hasta la perfección y para dar un testimonio, propio de ellos, delante del mundo.»
– Paul VI, Humanae Vitae, 25

Si le tuvieras que preguntar a la mayoría de la gente qué es lo que distingue la enseñanza católica sobre el matrimonio, probable-mente te contestarían que «los católicos no creen en el divorcio» o que «los católicos no usan anticonceptivos y no aceptan el casamiento homosexual». Todo esto es correcto, pero no es solamente exclusivo de los católicos. Más importante aún, esto solamente habla de lo que los católicos no hacen, y ni siquiera menciona lo que los católicos *creen* sobre el matrimonio y la vida familiar. Si todo lo que supieras sobre béisbol es que no es fútbol americano, te podrías imaginar un juego de béisbol como un partido de fútbol o de hockey. De la misma manera en que un montón de gente – tanto no católica como católica – saca la idea de lo que es el matrimonio católico de lo que «no» se permite, en vez de lo que se «debe» hacer. Es verdad que la Iglesia enseña ciertas cosas que no pertenecen al contexto del matrimonio en general o del matrimonio cristiano en particular, pero todos esos «No deberás» son conclusiones – razonables y verdaderas – que derivan de enseñanzas positivas sobre el matrimonio y la familia.

Entonces, si tuvieras que usar solamente una palabra para hablar de la posición distintiva de los católicos en cuanto al matrimonio, ¿cuál sería? Esperamos que sea «sacramento» o «sacramental». Hablando en términos amplios, los católicos y los cristianos ortodoxos creen que el matrimonio es un sacramento, mientras que los protestantes no creen eso. Pero esta «diferencia católica» es importante, aun si uno de ustedes es protestante. ¿Por qué? Porque la «sacramentalidad» o la calidad sacramental de la relación tiñe todo lo que ustedes hacen, y por eso en este libro hemos trabajado tanto para ayudar a proteger, mantener y dirigir su relación y poder lograr la Misión del Amor.

Objetivos

- Explicar lo que la Iglesia quiere decir cuando llama «sacramento» al matrimonio.
- Entender por qué la libertad es tan esencial al entendimiento del matrimonio católico.
- Explicar la calidad simbólica del sexo en el matrimonio.
- Entender por qué el sexo fuera del matrimonio (que no está destinado a crear vida, últimamente) es diferente al sexo dentro del matrimonio y a lo que cree la Iglesia.

Haciendo santos

En castellano, la palabra «sacramento» deriva del latín, *sacramentum*, que quiere decir «hacer santo» o «consagrar». En la antigüedad, el *sacramentum* era el ritual por el cual un soldado le juraba fidelidad a César en el Imperio Romano. Tendemos a pensar en los juramentos militares como en seculares en vez de sagrados, pero recuerda que César era adorado como un dios, así que estos juramentos a él eran algo como votos hechos en una iglesia. Es por esto que la palabra *sacramentum* llevaba consigo una sensación de estar consagrando algo religiosamente a la vez de estar jurando fidelidad – aunque, en nuestro caso, nos dirigimos a Dios y no a César. De cierta manera, podemos decir que si el *sacramentum* secular de la Roma antigua convertía a los hombres en soldados de César, entonces los sacramentos cristianos convierten a los hombres en soldados de Cristo. Tal vez, la mejor forma de pensar esto es que los sacramentos son la manera de Dios de «hacer santos» para su Iglesia.

El *Catecismo de la Iglesia Católica* dice que los sacramentos son «símbolos eficaces de gracias, establecidos por Cristo y confiados a la Iglesia, cuya vida divina nos es otorgada» (1131). Solemos pensar que los sacramentos son momentos particulares que marcan el pasaje del tiempo o los eventos especiales de la vida de una persona. Y, ciertamente, algunos sacramentos siguen este patrón más que otros, y el significado del ritual en sí a veces es paralelo a la situación externa de la persona. El bautismo celebra el nuevo nacimiento en Cristo y casi siempre se administra a los recién nacidos. La Confirmación se liga a la madurez cristiana, y normalmente se administra en la adolescencia. El matrimonio y las Ordenaciones marcan compromisos en la Iglesia y en el mundo, y la Extremaunción se asocia con la enfermedad y la muerte. Pero a veces aun esos sacramentos no marcan bien la edad cronológica: una persona puede ser bautizada al morir, otra puede confirmarse en la infancia, otra puede recibir la Extremaunción al luchar contra alguna enfermedad seria y luego vivir cincuenta años más, y otra puede casarse o hacerse sacerdote estando muy enferma o por morirse. Aún más importante, los dos sacramentos más importantes en la vida cotidiana – la Confesión y la Eucaristía – no marcan una etapa en particular de la vida cristiana, sino que marcan *todos* los periodos de la vida cristiana, con su patrón de pecado y perdón y el cuidado diario que Dios brinda a Su pueblo. El punto es que los sacramentos no son rituales vacíos o ceremonias sociales que marcan las etapas de la vida, sino que son lo que la Iglesia dice que son: símbolos eficaces – símbolos que comunican lo que representan – y regalos que nos dan la vida divina de gracia. Y no lo son simplemente porque la Iglesia lo dice, sino porque el mismo Cristo nos los ha dado.

Y esto nos lleva a la disputa sobre los sacramentos. En el momento de la Reforma, los hombres a quienes ahora llamamos «los Reformadores» (como Martin Lutero, Juan Calvino, Uldrich Zwingli) comenzaron a leer las escrituras de manera diferente a sus contemporáneos. Su preocupación era que no había suficiente evidencia para todos los sacramentos. ¿Por qué? Porque la Iglesia había afirmado consistentemente que su autoridad sobre los sacramentos era limitada porque éstos habían sido instaurados por el mismo Cristo. (La razón por la cual, por ejemplo, no se puede bautizar a alguien usando chocolate caliente, y tampoco se puede tomar la comunión usando cerveza y pizza). Pero los Reformadores, en general, solamente encontraron evidencia del Bautismo y de la Santa Eucaristía en las escrituras (Lutero también encontró evidencia de la Confesión), entonces las comunidades protestantes, hasta el día de hoy, solamente consideran solamente dos sacraments: el Bautismo y la Santa

Comunión. A través de los años, diferentes individuos y grupos de personas han propuesto diversas configuraciones y esquemas para los sacramentos, pero el único que les ha dado dificultad a todos, aun a los fieles teólogos católicos, ha sido el Matrimonio. Porque nosotros, los católicos – y aquellos quienes están casados con católicos y los quieren apoyar en su fe – necesitamos entender por qué la Iglesia insiste en que el matrimonio es un sacramento, y por qué eso importa aquí y por siempre.

Misterios sin resolver

Parte de la confusión surge en un problema en el lenguaje. La palabra que llega al latín como *sacramentum* es, en realidad, una palabra griega: *mysterion*. En las Iglesias Ortodoxas, los sacramentos se siguen llamando «Santos Misterios», y nosotros vemos un vestigio de esto en la Misa, cuando el sacerdote nos invita al comienzo de la Misa a «reconocer nuestros pecados, para así ser más dignos de celebrar los *sagrados misterios*». Y ya la palabra *misterio*, en sí, es problemática: partiendo de *mu* (de donde deriva la palabra *mudo*) y de *sterion* (lugar donde se lleva a cabo una acción sagrada), *mysterion* es una acción que nos deja mudos de asombro. Esta palabra se ve una sola vez en todo el Nuevo Testamento, y nos afecta directamente:

> Por esto dejará el hombre a su padre y a su madre, y se unirá a su mujer, y los dos serán una sola carne.
>
> Grande es este misterio; mas yo digo esto respecto de Cristo y de la iglesia. (Efesios 5:31-32)

La única vez que la palabra *misterio* se convierte en *sacramento* es en referencia al matrimonio, el único sacramento que los mismos expertos en sacramentos encuentran difícil de categorizar.

Es necesario aclarar un par de cosas. Primero, que este tipo de *misterio* no es el *misterio* de las novelas que uno lee o de las series que uno mira por televisión. Es, en cambio, el tipo de misterio que, como el amanecer, tiene explicación y que a la vez nos inspira asombro y nos lleva a la meditación. El misterio en juego en la Carta de San

Pablo es, obviamente, el misterio del amor humano en el matrimonio. ¿Has, alguna vez, tratado de «resolver» tu relación? No te debe haber ido demasiado bien. Una relación no es algo que se resuelve, sino que se procesa. La relación de Cristo con la Iglesia es considerada como un matrimonio, por eso en las escrituras se hablad de Él como «el novio». Los cristianos comenzaron a llamar a la Iglesia «madre» por los mismos motivos: porque la ofrenda de vida y amor que Cristo le hace a la Iglesia se refleja en los sacramentos y, literalmente, nos *hace nacer* cristianos en el bautismo. Así que, en vez de luchar para ver en qué categoría sacramental – filosófica o teológica – se debe incluir al matrimonio, los sacramentos se deben considerar y explicar de la misma manera en que uno consideraría y explicaría su relación con su esposo.

Y no solamente eso: al establecerse como el novio de la Iglesia, Cristo «elevó el matrimonio a la dignidad del sacramento». ¿Qué significa esto? Los reformadores pensaron que significaba que Cristo presidió en por lo menos una boda durante su vida. Se asumió que fue la boda en Caná, pero Jesús no presidió en ella de ninguna manera reconocible hoy en día. De todos modos, es significativo que el primer milagro de Cristo ocurrió en esa boda, aún si esa pareja no fue la primera en recibir el matrimonio sacramental (aún por la simple razón de que, presumiblemente, ¡no estaban bautizados!). Cristo instauró el sacramento del matrimonio pero no de la misma manera que instituyó los otros. Éste era especial porque existía desde el principio.

Contrariamente a los otros sacramentos, establecidos por Cristo durante su estadía en la Tierra, el matrimonio ha sido desde el principio una especie de sacramento. «Sean fecundos y multiplíquense», les dijo Dios a Adán y Eva. «Llenen la Tierra y sojúzguenla» (Génesis 1:28). Los rabinos sostienen que éste fue el primer mandamiento porque fue la primera instrucción concreta dada por Dios a los seres humanos. Y es importante notar que en el Génesis, el «matrimonio» de Adán y Eva precede su caída; en otras palabras: el matrimonio carece de pecado original. Así que no permitas que nadie te diga que el pecado original está relacionado al sexo porque no es verdad. El sexo vino antes de la caída y no se convirtió en problema hasta que el pecado se infiltró, a través de la desobediencia a Dios. Aunque el sexo es una de las áreas más profundamente afectadas por nuestra naturaleza pecaminosa, no es en sí pecado. Esto es importante porque significa que hay una manera buena, apropiada y santa de vivir y expresar nuestra sexualidad, además de ser célibe. Es lo que hacemos en el matrimonio cristiano, lo cual Dios llamó «muy bueno».

¿Un sacramento natural?

Bueno. Jesús es Dios y, como Dios, estableció el matrimonio desde el comienzo de la historia humana. Pero, ¿cómo puede eso representar el amor que le tiene a Su Iglesia? Hay por lo menos dos maneras de contestar esta pregunta, y las dos son importantes para entender las enseñanzas católicas sobre el matrimonio y la sexualidad humana. Primero, está el tema de la *materia* de los sacramentos, aquello que los concreta, lo que existía antes de los sacramentos mismos. Esto fue una intención de Dios, tal como lo explica San Pedro:

> Porque también Cristo padeció una sola vez por los pecados, el justo por los injustos, para llevarnos a Dios, siendo a la verdad muerto en la carne, pero vivificado en espíritu; en el cual también fue y predicó a los espíritus encarcelados, los que en otro tiempo desobedecieron, cuando una vez esperaba la paciencia de Dios en los días de Noé, mientras se preparaba el arca, en la cual pocas personas, es decir, ocho, fueron salvadas por agua. El bautismo que corresponde a esto ahora nos salva (no quitando las inmundicias de la carne, sino como la aspiración de una buena conciencia hacia Dios) por la resurrección de Jesucristo, quien habiendo subido al cielo está a la diestra de Dios; y a él están sujetos ángeles, autoridades y potestades. (1 Pedro 3:18-22)

El agua no sólo es anterior al bautismo sino también a toda la historia humana, pero es en el bautismo donde está la historia de la relación entre los humanos y el agua. Debido a esto, el bautismo puede ser también un símbolo de la muerte y la tumba, del descenso de Cristo a los infiernos, de la salvación de Noé y su familia en el arca, del éxodo de Egipto a Israel a través del Mar Rojo, y del lavado del cuerpo. Como símbolo tan poderoso, el bautismo refleja una serie de realidades. No solamente nos perdona nuestros pecados (que eso ya sería suficiente), sino que también nos trae la parte que comparten los cristianos de la muerte y resurrección de Cristo, nos salva de los poderes de la maldad, nos libera dándonos una vida nueva de gracia, y nos convierte en una comunidad de amor. El matrimonio es lo mismo. Como símbolo natural, hacer el amor simboliza un acto de suprema comunión entre dos personas, establece y renueva la pareja en una relación particular dentro de la IGlesia y la sociedad, y otorga nueva vida.

Segundo, la *forma* del sacramento, la *manera cómo es celebrado* (palabras, gestos, acciones, etc.) articula el significado de la materia en el contexto sacramental. Los padres bañan a sus bebés todo el tiempo, pero no los bautizan con cada baño. Las palabras «yo te bautizo en el nombre del Padre y del Hijo y del Espíritu Santo» nos alertan sobre qué tipo de lavado es. ¿Cuál, entonces, es la *forma* del matrimonio? Parte de la razón por la cual mucha gente lucha con la idea del matrimonio como sacramento es, justamente, porque la parte formal del mismo es medio confusa. Sin duda, las palabras que se dicen son importantes:

> Yo, N. te tomo a ti, N., como mi esposa. Prometo serte fiel en lo próspero y en lo adverso, en la salud y en la enfermedad. Amarte y respetarte todos los días de mi vida.

Por supuesto, los votos pueden también presentarse en forma de respuestas a las preguntas que hace el sacerdote: «¿Aceptas a N. como tu esposa?» La fórmula es igual tanto para el novio como para la novia, y solamente cambian las palabras «esposo» y «esposa». Nota cómo las palabras no son «novio» y «novia», que se refieren solamente al día del casamiento, sino que pasan a establecer una relación hecha para durar.

Es por esto que la Iglesia no permite que los novios escriban sus propios votos matrimoniales. Todos hemos visto, en persona o en televisión, parejas que se ofrecen votos inventados por ellos. Pero la Iglesia no permite esto porque busca algo muy específico en lo que la nueva pareja logrará dentro de su matrimonio. Una persona puede tratar de hacer sus propios votos y tal vez llegue a más o menos lo mismo que lo que dice la Iglesia, pero tal vez no. Aún más importante, al recitar los mismos votos que todos los otros que se casan dentro de la Iglesia, la pareja recuerda que su relación existe dentro de un contexto que va mucho más allá de sus amistades y parientes: su relación se extiende a toda los católicos, vivos y muertos.

¿Recuerdas que la palabra *sacramento* está ligada a los juramentos? Estos juramentos son tan importantes que la Iglesia obliga a aquellos que quieren casarse a demostrar que saben en qué se están metiendo, que están libres de hacerlo y que saben cuáles son las consecuencias. La libertad y la responsabilidad son cruciales. De hecho, Karol Wojtyla, que luego se convertiría en el Papa Juan Pablo II, tituló su importante obra: *Amor y responsabilidad.* Él sabía que había muchas ideas falsas sobre la libertad, y que la verdadera libertad existe solamente cuando uno se brinda a los demás.

La cuestión de la libertad es central en lo que respecta al matrimonio. Casi todos nosotros pensamos que estar casados es, más o menos, hacer lo que queremos, cuando lo queremos hacer, siempre y cuando no molestemos ni lastimemos a nadie. Esto es una idea horrible de la libertad porque, de ser así, todas las discusiones sobre si una ley es justa o no se limitarían a analizar si limitar una cierta libertad molesta o lastima a alguien. Aún peor, cualquiera que conoce adictos sabe que «querer» es mucho más complicado que lo que parece. Un adicto *realmente* quiere su sustancia, pero eso no quiere decir que la deba tener. Y, *definitivamente*, no quiere decir que es libre.

El tipo de libertad del que hablamos aquí es la libertad natural de la persona humana, la libertad con la que fuimos hechos desde el principio. Significa ser libres de restricciones externas, y en nuestro caso estas restricciones se refieren más que nada a si la persona estuvo previamente casada o no (no te puedes brindar a otra persona si ya te has brindado a alguien más), o si tiene otro tipo de compromiso (un sacerdote o un religios, por ejemplo, ya encomendado y sin libertad de casarse). También significa tener la capacidad de hacer o que dices que harás, por esto es que los niños no pueden casarse: no tienen aún las facultades físicas, mentales y morales para cumplir lo que prometen. Del mismo modo, la gente que no puede tener relaciones sexuales tampoco puede casarse. ¿Por qué no? Porque no estarían cumpliendo con lo prometido en sus votos. Esto no quiere decir que las personas que ya saben que son infértiles no puedan casarse: no solamente la Biblia está llena de parejas que parecían infértiles y que terminaron teniendo hijos por obra y gracia de Dios, sino que técnicamente estas personas podrían tener hijos porque están diseñadas para eso, a pesar de que en su caso en particular hay algo que no se los permite. Es difícil afirmar, entonces, que la Iglesia está en contra del sexo cuando exige que la gente lo lleve a cabo como condición para el matrimonio, asumiendo que será una parte regular, integral y espiritual de la vida en pareja.

Hablando con nuestros cuerpos

El acto de hacerse el amor entre esposos es un acto simbólico. A través del cuerpo, se expresa lo que se dijo el día de la boda: «Prometo serte fiel. . . prometo amarte y honrarte. . . hasta que la muerte nos separe». Estas palabras amorosas se concretan en el acto sexual. La entrega al otro es demostrada en la entrega corporal. Juan Pablo II escribió mucho sobre esto en lo que hoy llamamos la «Teología del cuerpo». El principio básico es el siguiente: tenemos cuerpos. Dios nos los dio a propósito. Pero somos más que nuestros cuerpos, somos intelectos y voluntades, mentes y corazones. Y todo eso funciona en conjunto para formar el ser. Y ese ser necesita actuar en su totalidad para que nuestras acciones sean verdaderamente humanas. Por esto, las acciones más humanas son aquellas que usan simultáneamente el cuerpo, la mente y el corazón. En el orden natural de las cosas, no hay nada que haga esto de la misma manera que el acto matrimonial de hacer el amor. Y así como en el orden natural que Dios estableció en la Tierra este acto es la acción más alta y más simbólica, en el orden sobrenatural – que Dios estableció en la Encarnación – este acto es tanto la más alta expresión humana del amor como el símbolo de algo más, un algo más que luego es revelado en Jesús.

Jesús nos mostró ese «algo más» en la última cena. «Tomen y coman todos de él, porque esto es mi Cuerpo, que será entregado por ustedes. Tomen y beban todos de él, porque éste es el cáliz de mi Sangre, Sangre de la alianza nueva y eterna, que será derramada por ustedes y por muchos. . .» Él se dio por nosotros en cuerpo y alma, y nosotros también tenemos que darnos en cuerpo y alma. De la misma manera como la Iglesia celebra la Eucaristía en memoria de Cristo, y eso lo vuelve presente otra vez, también el acto matrimonial cristiano de hacer el amor – entre esposos que están conscientes de su amor y que quieren renovar su mutuo compromiso – no solamente hace que se vuelvan a consagrar el uno al otro sino que también hace que juntos le den gloria a Dios y que vuelvan presente a Jesús de una manera particular y única.

Por esto es que la Iglesia toma el sexo tan en serio. La mayoría de la gente tiende a pensar que la Iglesia odia el sexo, o que el sexo es siempre malo, o que los cuerpos son malos, o que cada pensamiento, palabra o acto sexual es pecado. Esto no es verdad. Solamente ocurre que cada pensamiento, palabra o acto sexual tiene el potencial de ser sacramental, y entonces sacarlo del contexto apropiado no solamente significa perder el control de un apetito sino también cometer una especie de sacrilegio. El sexo prematrimonial – lo que la Iglesia llama fornicación – es un pecado no porque sea algo sexual sino porque es sexo fuera de contexto. El adulterio – es decir, cuando una persona casada tiene relaciones sexuales con alguien que no es su pareja – no es pecado por ser algo sexual sino porque es sexo con la persona equivocada y en el contexto de alguien diferente. Al final de cuentas, estas acciones están equivocadas porque son mentiras: no se puede sellar un acuerdo que no se ha llevado a cabo y tampoco puede alguien comprometerse a cumplir promesas que aún no han sido hechas. Desde luego, los niveles de mentira varían en estos casos, pero la seriedad de la mentira depende no solamente de *lo que* uno dice sino también de *a quién* uno se lo dice. Tener relaciones sexuales con tu prometida podrá parecer algo poco grave, ya que tarde o temprano tendrán relaciones, de todos modos. Pero mentirse a ustedes mismos de esa manera es una receta para la confusión una vez que estén casados. Obviamente, si tienes relaciones sexuales de manera casual, ya sea con gente desconocida o conocida, es una mentira mucho mayor: tú no tienes ningún interés en darte a lo otra persona, aún cuando tu boca y tu cuerpo digan: «Soy tuyo». Estas mentiras son para las personas a quienes tú no les importas demasiado. Por eso la Iglesia nos dice que no hagamos nada de eso: no peques en contra de tu sexualidad y en contra de tu pareja, ni ahora ni en el futuro, diciendo mentiras con tu cuerpo sobre ti mismo y sobre el otro.

Aprendiendo el lenguaje de la comunión

La comunión amorosa en el matrimonio tiene su propio lenguaje. No es algo que se aprende en un día o en una semana o, ni siquiera, en un año. No comienza el día de la boda o en la cama en la noche de bodas, aunque si todo funciona bien lo hablarán en ambos lugares. Seguramente habrán comenzado a hablar este idioma al principio de su relación, y continuarán aprendiendo el vocabulario y la gramática a medida que pasa el tiempo. Esto consiste en una serie de interacciones que tendrán el uno con el otro: conversaciones largas y escribir mensajes de texto cortos, lecturas de las emociones y la personalidad del otro, pequeños actos de bondad y devoción, y símbolos de afecto y amor. Como ocurre en cualquier interacción, cualquier cosa que digas no solamente le habla *a* tu ser amado, sino que también habla *sobre* ti.

Éste es el lugar donde ocurre la mayoría de los pecados sexuales. La masturbación, el uso de la pornografía, el sexo oral, anal o de otro tipo que no resulta en coito vaginal: todos estos son defectos serios en tu gramática y vocabulario personales. Muy a menudo, estos defectos son el resultado de años de hablar mal el lenguaje antes de conocer a tu pareja y, como es el caso en cualquier lucha moral y de falla de carácter, un compañero paciente te desafiará y te afirmará en tu camino hacia los buenos hábitos. El punto aquí es que todas estas cosas toman aquello que literalmente está hecho para la más alta de las realidades y lo convierten en algo menor – y, a veces, en algo muchísimo menor.

Es necesario tener en cuenta de que, a pesar de las mejores intenciones, a veces habrá cosas que no se podrán superar, tal como le sucede a alguien que ha tenido un derrame cerebral y, a pesar de la terapia que recibe, no logra recuperarse. Relaciones pasadas, previos matrimonios, historias de abuso físico, emocional o sexual, y otros problemas psicológicos y emocionales pueden anteponerse a la intimidad auténtica e integral. A veces, estas cosas necesitan ser habladas, hasta un cierto punto, antes de que el casamiento se lleve a cabo. Una persona con una historia de abuso sexual que nunca ha recibido terapia puede, por ejemplo, no ser realmente capaz de sostener una relación sexual auténtica. Del mismo modo, una persona con serios problemas de confianza provenientes de su infancia tal vez no pueda experimentar una genuina intimidad. Muchas veces, sin embargo, estos problemas recién aparecen después de la boda. En estos momentos es cuando es de suma importancia que la pareja brinde el máximo apoyo y que ayude a su compañero a buscar ayuda. Hay muchos recursos disponibles, pero la iglesia local es a menudo el mejor lugar por donde comenzar. Allí pueden recomendar buenos consejeros católicos y hasta tal vez tengan consejeros propios. Lo más importante es que pueden ayudar a encontrar gente que ayude en estos momentos de crisis para poder entrar más profunda-mente en una relación vital y de amor.

En el orden natural de las cosas en el mundo, una pareja de casados representa un símbolo natural de la Trinidad. Dios Padre se entrega eterna y perfectamente a su Hijo; Dios Hijo recibe eternamente el regalo que es el Padre y se le entrega a Él también. Este acto de dar y recibir amor mutuamente es tan perfecto y profundo que constituye una tercera persona: el Espíritu Santo. Del mismo modo, un hombre ama a una mujer y se le entrega total y perfectamente a ella. Ella recibe su acto de amor y lo devuelve en reciprocidad. Este amor mutuo constituye una especie de «tercera persona» en la relación, y se manifiesta de la manera más perfecta cuando esa tercera persona se vuelve real y toma forma humana – es decir, cuando ese hacerse el amor resulta en la concepción de un hijo.

¡Inconcebible!

Dado el número de chistes en los medios de comunicación, uno pensaría que todo el mundo sabe que la Iglesia Católica se opone a la anticoncepción. Y, sin embargo, los sacerdotes que predican sobre el tema reciben todo el tiempo comentarios de personas que parecen no haber escuchado nunca esta enseñanza. Esto es particularmente extraño desde un punto de vista histórico, ya que todas las otras denominaciones cristianas también se opusieron a la contracepción artificial hasta los años '20. Para que no queden dudas:

> En conformidad con estos principios fundamentales de la visión humana y cristiana del matrimonio, debemos una vez más declarar que hay que excluir absolutamente, como vía lícita para la regulación de los nacimientos, la interrupción directa del

> proceso generador ya iniciado, y sobre todo el aborto directamente querido y procurado, aunque sea por razones terapéuticas. Hay que excluir igualmente, como el Magisterio de la Iglesia ha declarado muchas veces, la esterilización directa, perpetua o temporal, tanto del hombre como de la mujer; queda además excluida toda acción que, o en previsión del acto conyugal, o en su realización, o en el desarrollo de sus consecuencias naturales, se proponga, como fin o como medio, hacer imposible la procreación.

Estas palabras provienen del Papa Pablo VI en su encíclica (un importante documento papal) *Humanae Vitae*. Son muy claras. El aborto está mal porque pone fin a la vida de un niño. La esterilización está mal porque pone fin permanente a la posibilidad de la procreación resultante del acto de hacer el amor. Y la anticoncepción artificial está mal porque interrumpe la posibilidad de procreación resultante del acto de hacer el amor, ya sea en instancias específicas o por determinados periodos de tiempo.

Esta es una lección difícil y muchos no la aceptan. Por supuesto, Jesús dio otras lecciones difíciles (para ver un ejemplo, pueden leer Juan 6:68). Todos los detalles de la doctrina de la Iglesia con respecto a la anticoncepción son demasiados como para ser cubiertos en este libro, pero en tu diócesis puedes encontrar la información que necesitas al respecto, así como clases para planear una familia de manera natural. Debido a que el tema está relacionado con el matrimonio como sacramento, sin embargo, vale la pena por lo menos analizar la anticoncepción artificial desde la perspectiva del valor simbólico del amor matrimonial.

Los esposos cristianos se entregan el uno al otro en el acto sexual sagrado, a través del cual renuevan, resellan y representan el acuerdo al que llegaron el día de bodas. En vez de ser un animal partido en dos, ellos mismos son partidos en dos: la mujer al recibir al hombre en su cuerpo, y el hombre al separarse de la semilla que le regala a su esposa. Es verdad que no todos los actos sexuales resultan en el nacimiento de un bebé; la Iglesia no piensa eso tampoco y no lo exige. Pero sí exige que el acto de darse al otro incluya la posibilidad de procrearse. De lo contrario, la entrega no es total: «Puedes tener todo de mí, excepto esto». Eso no es un matrimonio. Tal vez sea una relación seria. Tal vez esté basada en un amor real. Pero no es la entrega total al otro – para su bien y para el bien de todo el mundo – que es el matrimonio cristiano.

Los preservativos (condones) y los dispositivos intrauterinos son una especie de anti-sacramento. Son barreras físicas al símbolo natural que está hecho para representar el amor. Dejan en claro lo que ocurre en el acto sexual: no me estoy entregando completamente, te estoy dando parte de mí pero no todo. Los anticonceptivos químicos, en todas sus formas, son aún más insidiosos porque no se ven. Una píldora que tomas diariamente parece no estar relacionada al regalo corporal que le hace uno a su pareja, pero como esa píldora está siendo tomada *para que uno no pueda entregarse completamente*, entonces actúa exactamente como un preservativo o un dispositivo intrauterino. La gente piensa que la preocupación de la Iglesia es la naturaleza artificial de la anticoncepción. Eso es parte de la preocupación, claro, ya que la anticoncepción trata el embarazo como si éste fuera una enfermedad. Pero la verdadera preocupación es la intención. La Iglesia no piensa que cada acto sexual debe resultar en un bebé, pero sí piensa que cada acto sexual debe ser una entrega auténtica al otro. Si estás temporariamente esterilizado para prevenir un embarazo, entonces no te estás dando genuinamente y en plenitud – estás, en cambio, dando una versión tuya alterada químicamente, una versión que es menos de lo que realmente eres. El amor cristiano no es para eso, y eso eventualmente se ve reflejado en el matrimonio.

La Planificación Natural Familiar (PNF) no es simplemente un «anticonceptivo católico». Se trata de un *planeamiento*, tanto de la concepción y el espaciamiento de los hijos como de los actos sexuales, basado en los ciclos menstruales de la mujer. Usando la PNF, lo que se controla no es el nacimiento de un niño sino la voluntad y los deseos de los individuos hacia un objetivo discernido a través de la oración. Este método tiene una reputación terrible e injusta en ciertos círculos ginecológicos. Usado correctamente, es mucho más efectivo que los preservativos y es comparable a la mayoría de los métodos anticonceptivos químicos. Por supuesto, la efectividad de la PNF no puede medirse simplemente en los nacimientos que evita, sino en los nacimientos que logra, ya que el planeamiento asume que uno realmente está planeando tener una familia. El simbolismo aquí es obvio: los esposos se sintonizan con el ciclo menstrual y las emociones internas de su cuerpo. Juntos, crecen en una intimidad que nunca antes podrían haber soñado. El conocimiento mutuo y la intimidad que viven le da vida, últimamente, a una nueva persona.

El punto aquí es, simplemente, el siguiente: la anticoncepción artificial de cualquier tipo milita de manera rotunda contra la realidad simbólica y sacramental de aquello que los cristianos llaman matrimonio. Por el contrario, la Planificación Natural Familiar, utilizada correctamente, resalta esa realidad. La continua oposición de la Iglesia a la anticoncepción se debe a que, a medida que los esposos crecen en el amor mutuo, prevenir que se entreguen completamente es *inconcebible.*

Señales de lo que vendrá

Las enseñanzas de la Iglesia sobre el sexo y el matrimonio son difíciles de aceptar y de seguir, especialmente hoy en día. Nadie lo hace – ni nadie lo ha hecho – perfectamente, pero las frustraciones con respecto a la vida moral no deben llevarnos a rendirnos. Casi todos nosotros mentimos, aun cuando sólo digamos mentiras inofensivas; sin embargo, pocos son los que se ven tan afectados por esto que no quieren interrelacionarse con la gente por temor a mentir, o que inventan teorías complicadas para explicar por qué mentir está bien en algunos casos, y hasta a veces es preferible. El problema es que hasta la institución del matrimonio ha sido afectada por el pecado, y debido a que cada matrimonio está necesariamente compuesto por dos pecadores, ambos tienden a pensar que el matrimonio es solamente sobre ellos mismos.

Con respecto a esto, la iglesia señala las dimensiones naturales del matrimonio. El matrimonio se ha tratado siempre de tres cosas: la pareja, los hijos y el resto de las personas. El matrimonio, aun en el orden natural, se trata de la pareja porque sirve para estabilizar las relaciones amorosas y para regular las relaciones sexuales. El estado tiene un interés específico en regular las relaciones sexuales – por razones de salud y de reproducción – y regula las uniones románticas para asegurar el buen orden y el cuidado de los niños. El matrimonio se trata, también, de los niños, porque ellos tienen un derecho natural a tener una madre y un padre como fuentes de vida, y porque la manera común de que un niño experimente ambos es en el contexto familiar. Esta es parte de la razón por la cual los estados han regulado siempre los matrimonios: al estar casada una pareja, se presume que el esposo es el padre legal de los hijos de ella (aún cuando tal vez no lo sea). Y, finalmente, el matrimonio se trata del resto de las personas en términos sociales, ya sea la sociedad una tribu pequeña o un gran imperio. Al estabilizar las relaciones personales, el matrimonio estabiliza la sociedad, deja claro dónde están parado cada individuo y asegura que los niños nazcan en situaciones que permitirán su buen cuidado.

Aún así, el *matrimonio cristiano*, o el sacramento del Santo Matrimonio, va más allá. Es posible que una pareja sea un símbolo de la Trinidad sin ser consciente de ello. Pero no es posible para los cristianos ser un símbolo del amor de Cristo por Su Iglesia sin ser conscientes de ello.

> El primer padre del humano linaje declaró, inspirado por el Espíritu Santo, que el vínculo del Matrimonio es perpetuo e indisoluble, cuando dijo: Ya es este hueso de mis huesos, y carne de mis carnes: por esta causa, dejará el hombre a su padre y a su madre, y se unirá a su mujer, y serán dos en un solo cuerpo. Aún más abiertamente enseñó Cristo nuestro Señor que se unen, y juntan con este vínculo dos personas solamente, cuando refiriendo aquellas últimas palabras como pronunciadas por Dios, dijo: Y así ya no son dos, sino una carne; e inmediatamente confirmó la seguridad de este vínculo (declarada tanto tiempo antes por Adán) con estas palabras: Pues lo que Dios unió, no lo separe el hombre. El mismo Cristo, autor que estableció, y llevó a su perfección los venerables Sacramentos, nos mereció con su pasión la gracia con que se había de perfeccionar aquel amor natural, confirmar su indisoluble unión, y santificar a los consortes. (Concilio de Trento, Doctrina sobre el Santo Matrimonio)

El peligro de decir que el matrimonio es un «sacramento natural» es que puede sugerir que todos los matrimonios son fundamentalmente iguales, y no lo son. El matrimonio es un bien natural en sí, anterior al judaísmo, al cristianismo y a la misma sociedad humana. Debido a que

Dios lo ha llamado a ser lo que es, funciona como un símbolo eficaz, una señal que logra lo que representa: la unión y la mejora de la pareja y, a través de ella, también de la sociedad.

Cuando decimos que Jesús elevó el matrimonio a la dignidad del sacramento, sin embargo, queremos decir algo muy diferente. Los cristianos bautizados, por su naturaleza y por haber sido transformados por la fe y el bautismo, ya son «pequeños Cristos» llamados a proclamar el reino de Dios. El matrimonio entre los cristianos es una sacramento porque en la vida cristiana Cristo tomó la institución natural del matrimonio – que ya significaba algo – y le dio eterna importancia. El matrimonio cristiano es ahora una señal escatológica (una señal de lo que vendrá) porque los esposos cristianos hacen presente y encarnan el amor que Cristo tiene por su Iglesia. Si las enseñanzas morales de la Iglesia en lo que respecta al matrimonio y a la sexualidad parecen demasiado difíciles de acatar, es porque lo son y lo deben ser, ya que:

> El don del sacramento es al mismo tiempo vocación y mandamiento para los esposos cristianos, para que permanezcan siempre fieles entre sí, por encima de toda prueba y dificultad, en generosa obediencia a la santa voluntad del Señor: «lo que Dios ha unido, no lo separe el hombre». (Juan Pablo II, *Familiaris Consortio,* 20)

Apéndice: Cohabitación y otras consideraciones

La atracción de vivir en pareja, a cohabitar, antes del matrimonio es muy comprensible, especialmente dada la alta probabilidad de quedar herido tras una relación fracasada. Si uno va a entregarle la vida entera a otra persona, parecería lógico conocer a esa persona lo mejor posible antes de comprometerse. En la cohabitación están, o pueden estar, todos los supuestos beneficios del matrimonio: espacio, bienes y recursos compartidos, la proximidad a quien uno ama, la oportunidad de tener relaciones sexuales regularmente (si eso es parte del acuerdo, algo que no siempre lo es), y la oportunidad de lograr conocer muy bien al otro. Al mismo tiempo, como este arreglo carece de la obligación del matrimonio, una eventual separación no parece tan grave.

Pero eso es parte del problema: esa separación es mucho más parecida a un divorcio que a romper con un novio que vive en otro barrio. Los contratos de alquiler deben ser terminados, la propiedad debe ser dividida, hay que acostumbrarse a vivir solo nuevamente: todo cambia. Esto es una parte de la razón (y, ciertamente, no es la única parte) por la cual la Iglesia se mantiene opuesta a la cohabitación, ya que ésta limita la libertad. Es mucho más difícil que una persona termine la relación cuanto más metida está en ella.

Esto no quiere decir que todas las parejas que cohabitan sean iguales, o que elijan hacerlo por las mismas razones. Además, nadie debe presumir que por el solo hecho de cohabitar una pareja tenga relaciones sexuales. Esto es importante, ya que la Iglesia también se opone a ese tipo de cohabitación, en la cual la pareja se mantiene célibe. ¿Por qué? Porque vivir juntos es un acto público: hay contratos, alquileres, compras compartidas. Y todo esto sugiere una cosa: la pareja está casada, aunque en realidad no lo esté. Esto hace que sea aún más difícil entender qué ocurre cuando finalmente se casan. Sin duda, la pregunta más común que tienen las parejas que cohabitan es: ¿Qué será diferente en el matrimonio?

Muchos novios terminan viviendo juntos por conveniencia. Ella se queda a dormir tan a menudo en la casa de él, o él ya casi no está en su apartamento, que deja de tener sentido que vivan separados. Pero, ¿realmente quieres que tu matrimonio esté basado en la conveniencia? ¿Le has pedido a tu pareja que vivan juntos porque así es más fácil? ¿Te enamoraste de tu pareja porque era cómodo? ¿O se atrajeron mutuamente? ¿Has crecido gracias a tu pareja? ¿Eres mejor gracias a ella? Y, si ese es el caso, ¿no merece eso algo diferente?

Por lo tanto, hay tres puntos que deben quedar claros: cohabitar antes de casarse no significa que la relación terminará fallando, ya que no todas las parejas son iguales y, además, las estrategias y actividades que hay en este libro funcionan bien tanto para las parejas que han cohabitado como las que no lo han hecho. Según las estadísticas, lo que es importante entender acerca de la cohabitación es que lo que el Dr. Scott Stanley llama una mentalidad de «dejarse llevar» versus una mentalidad de «decidir». Las parejas que se comprometen a casarse antes de cohabitar tienen mayores probabilidades de tener éxito en el matrimonio que aquellas que cohabitan antes de decidir casarse. Desde un punto de vista espiritual, esto es significativo. Después de todo, nadie quiere entrar tambaleándose al matrimonio, sin compromiso, sin decisión y sin preparación.

La promesa matrimonial de estar «juntos para siempre» es algo más que el hecho de vivir juntos. Se refiere a comprometerse al otro de manera permanente y absoluta, para que juntos sean libres de lograr su obra. Esto no es algo que se puede probar por un tiempo, sino que debe ser un compromiso a todo o nada. Y esa obra va más allá de la pareja: es parte de lo que ésta comparte con toda la Iglesia, y por eso a la Iglesia le importa tu relación.

La cohabitación, entonces, pone en una situación difícil e incómoda tanto a la pareja que va a casarse por Iglesia como a los sacerdotes, diáconos, laicos y parejas auspiciantes que los aconsejan. Aunque casi no se enseña explícitamente que la cohabitación es un problema serio, la mayoría de las parejas de novios intuyen que allí hay algo equivocado, o que el resto de la congregación no lo verá con buenos ojos. A veces mienten sobre el tema, pero esto es un error: primero, porque no se debe mentir – y menos a la Iglesia, especialmente cuando le están pidiendo ayuda para casarse – ; y, segundo, porque hoy en día las parejas van a casarse y que no cohabitan son tan poco numerosas que llaman mucho la atención. Algunas parejas son honestas y explican cómo llegaron a la decisión de cohabitar, y luego discuten qué han aprendido de la situación; sin embargo, la mayoría de las parejas mencionan su cohabitación al pasar y tratan de pasar rápido a otro tema. Lo peor de todo es que los sacerdotes, diáconos, laicos y parejas auspiciantes les permiten salirse con la suya.

Casi todas las personas en la Iglesia que trabajan con parejas – y, también, muchos consejeros que no son católicos o que son seculares – conocen el tipo de daño que le hace la cohabitación a la relación. A la vez, nadie sabe bien qué hacer al respecto. Mucho ni siquiera preguntan: «¿Viven juntos?» por temor a la respuesta. Otros preguntan y ofrecen un chasquido de lengua en desapruebo, pero pasan rápidamente a otras preguntas que no causan tanta ansiedad. Y otros reconocen que la cohabitación está mal y tienen una idea de por qué piensan eso, pero sólo ofrecen como solución que la pareja se separa temporalmente. A veces, esta solución es presentada en forma de ultimátum: «La diócesis (o la parroquia) tiene como política casar solamente a aquellos que viven separados por lo menos seis meses antes de la boda», o algo por el estilo. Otras veces, la conversación adquiere un tono de regateo: «¿Pueden tratar de vivir separados por solamente tres meses?» La sugerencia de que un tiempo de separación puede ser útil no es mala, pero el problema es que una separación por unas pocas semanas (o unos pocos meses) no ayuda a que la relación comience de cero. Puede ayudar a que la pareja no tenga relaciones sexuales durante ese tiempo (y aquellos que quieran tenerlas las van a tener de todos modos), pero falla en dirigirse al verdadero problema de la cohabitación y a los peligros que representa para el matrimonio.

El problema de la cohabitación no es simplemente el sexo, aunque el sexo antes del matrimonio es pecaminoso y problemático desde el punto de vista psicológico, emocional y personal. Tampoco es el escándalo de que un católico practicante viva de una manera pública que es opuesta a las enseñanzas de la Iglesia, aunque esto también es algo serio. No. El problema de la cohabitación antes del matrimonio es, esencialmente, el mismo problema del sexo antes del matrimonio. El sexo no solamente *hace* algo entre la pareja, sino que también *dice* algo – tanto a la pareja misma como al resto de nosotros. El sexo en el matrimonio es un símbolo de algo más, de algo grande, de algo que el sexo fuera del matrimonio nunca puede simbolizar del todo. La cohabitación – el presentarse en público como matrimonio – dice algo que no es verdad, o que todavía no es verdad. Vivir en semejante tensión entre lo que dice la persona pública y lo que sabe la persona privada marca límites extremadamente confusos en la relación. Tales límites conllevan a que la pareja tenga expectativas incongruentes, y por su parte esas expectativas conllevan a conflictos serios y a desilusiones. Todo esto, fuera del contexto de una relación bien delimitada, socava la posibilidad de éxito de la relación y a menudo lleva a su fracaso.

Pero la respuesta no es darle a la pareja un simple panfleto lleno de estadísticas que le demuestran que su relación no tiene esperanza. Tampoco es pedirle a la pareja que se separe por unos meses y hacer de cuenta que la relación se sanó mágicamente, o que volvió a su lugar de origen. La cohabitación establece patrones de relación que dependen del compromiso que surge del matrimonio pero sin el beneficio del compromiso en sí. Parte del cuidado pastoral de la Iglesia hacia las parejas que cohabitan *debe ser* ayudarlas a deconstruir estos patrones de relación para que puedan ver cuál es, realmente, la diferencia que logra el matrimonio.

Que quede en claro que los autores de este libro no sugerimos que la cohabitación esté bien. Nos alineamos con la Iglesia y apoyamos su enseñanza; sin embargo, también reconocemos que el cuidado pastoral de las parejas en cohabitación es uno de los temas más urgentes de la Iglesia hoy en día, y que muchas de las prácticas que se ejercen no solamente son inefectivas sino que también enajenan, dañan y son contraproducentes.

La decisión final sobre «qué hacer» con una pareja en particular está en manos del el pastor local, como debe ser. Él es quien, bajo la dirección del obispo, necesita evaluar cada situación y decidir si una separación es necesaria y qué tipo de consejo prematrimonial o de preparación se necesita llevar a cabo antes de la boda. No todas las parejas que cohabitan son iguales, y cada situación requiere respuestas hechas a medida. Una pareja que estuvo «probando suerte» durante seis meses o un año no está en la misma situación que una pareja comprometida que ha compartido por dos o tres meses el mismo espacio donde piensan vivir después de su boda. Y ninguna de las dos se asemeja a una pareja de inmigrantes con dos o tres hijos que han temido casarse por miedo a ser delatados al gobierno. La Iglesia confía el cuidado de estas parejas a su párroco porque él las conoce y puede decidir sabiamente aquello que es mejor.

Pero nadie, hoy en día, debe tomar estas decisiones sin ayuda. Y nadie – especialmente nadie en situación de cohabitación – debe tratar de casarse por Iglesia sin antes examinar los patrones de relación que rigen su la vida de pareja. Este libro ha sido escrito con una consideración especial hacia las parejas cohabitacionales y sus necesidades particulares, aunque las estrategias, actividades y reflexiones ciertamente son aplicables, en mayor y menor grado, a todas las parejas. Este libro también está hecho para ayudar al sacerdote encargado de trabajar con estas parejas en su desarrollo de criterios y dirección para la preparación prematrimonial, la práctica y el consejo.

Matrimonios de religión mixta

Todo libro preconcibe un lector. Hemos hecho lo posible para minimizar nuestras preconcepciones, pero aún así no lo hemos podido evitar. La preconcepción principal de este libro es que será leído por uno o ambos miembros de una pareja casada, comprometida o que busca saber qué podrá significar el matrimonio en su caso. Nos dirigimos a tal lector cuando escribimos en segunda persona, pero sabemos que otras personas también lo podrán leer, especialmente sacerdotes y diáconos en la preparación prematrimonial.

De manera similar, este libro se dirige a un cierto tipo de pareja. Como dijimos antes, reconocemos que muchas (sino todas) las parejas que lo lean seguramente cohabitan, y toma esto en consideración al reflexionar sobre el significado del matrimonio y las actividades que presenta. El libro también asume que los matrimonios que ayudará serán sacramentales: los novios o esposos están bautizados en la cristiandad – idealmente, en la Iglesia Católica. Por supuesto, esto no es siempre el caso y no es nuestra intención dejar de lado a las parejas mixtas; simplemente, no es posible abarcar aquí todas las situaciones posibles. Hemos tratado de adaptar algunos de los ejemplos para que funcionen en estos casos, pero unas palabras al principio pueden ayudar a pintar mejor el escenario para las parejas provenientes de distintas fes.

La visión y teología del matrimonio presentada en este libro es católica. Está arraigada en las tradiciones litúrgica y magisterial de la Iglesia Católica. Parte de lo que hace que la tradición católica sea *católica* es que es diferente a otras tradiciones. Los cristianos ortodoxos se sentirán identificados con muchos de los conceptos de este libro, ero no así los protestantes, para quienes la teología católica del matrimonio puede parecer un idioma extranjero. Es, sin embargo, un idioma extranjero realmente importante de aprender si piensas casarte con un católico, ya que aun en el caso de que no hayan practicado su religión por un tiempo, ésta es la visión implícita, subconsciente que tienen del matrimonio. Esto quiere decir que necesitas, por lo menos, entenderla lo más que puedas para que quede calro aquello que no compartirán. El desacuerdo no implica el fin de la relación, aun cuando es sobre las cosas más importantes. Pero es crucial que haya claridad sobre lo que están de acuerdo y lo que no.

Esto es aún más verdad para los matrimonios entre católicos y no-cristianos. No es que tales matrimonios sean imposibles, sino que la Iglesia distingue claramente entre estos matrimonios y los matrimonios entre cristianos. No es porque los consideremos de segunda clase, sino porque un matrimonio cristiano es un símbolo de Cristo y el otro no lo es, y sería profundamente irrespetuoso hacer del matrimonio un símbolo de algo en lo que alguien no cree. Por esta razón, este libro puede ser particularmente de ayuda para las parejas de religión mixta. Aun si tu matrimonio carece de algunos de los elementos que este libro asume, de todos modos te puede ofrecer una visión útil de lo que la Iglesia enseña sobre el matrimonio y de lo que tu pareja asume aunque tal vez no se dé cuenta.

Los matrimonios entre los católicos y los no-católicos, especialmente cuando estos últimos tampoco son cristianos, presentan una serie de problemas. No podemos analizarlos en plenitud aquí, por lo tanto les recomendamos que se concentren con mucho cuidado en los capítulos y las actividades que tratan los temas de comunicación, resolución de conflictos y expectativas. La Visión y el propósito general de estas parejas va a ser bastante diferente al de otras parejas, y eso está bien siempre y cuando todos tengan en claro y que entiendan bien lo que se espera de ellos y lo que es razonable esperar del otro. Así que si tú estás en la categoría de matrimonios de religiones mixtas, este libro también es para ti, aunque de manera diferente.

Sobre Los Autores

Dr. John Curtis, Doctor en Desarrollo de Recursos Humanos

El Dr. Curtis tiene una Licenciatura en Educación, una Magistería en Orientación y un Doctorado en Desarrollo de Recursos Humanos. Actualmente brinda servicios de desarrollo organizacional a organizaciones públicas, privadas y sin fines de lucro a lo ancho de los Estados Unidos. Antes de dedicarse a la consultoría, John trabajó tiempo completo como asesor de parejas, con una membrecía en la American Association for Marriage and Family Therapy (Asociación estadounidense para la terapia matrimonial y de familia). John y su esposa han actuado en su parroquia como facilitadores matrimoniales y como pareja auspiciante para la preparación matrimonial. John también ha brindado educación matrimonial en Estados Unidos por más de treinta años. Él está casado y tiene dos hijos y tres nietos.

Fraile Dominic McManus, Orden de Predicadores

Fr. Dominic McManus es un fraile dominicano de la provincia de St. Albert the Great. Es un instructor adjunto de teología litúrgica y sacramental en el Instituto Aquinas de Teología, en St. Louis, en el estado de Missouri.

Mike Day

Mike Day tiene una Licenciatura en Filosofía y es Director de vida matrimonial y de familia en la diócesis católica de St. Augustine. Está casado, tiene dos hijos y ha trabajado como ministro por más de diez años.

Traducción al castellano:
M. Mercedes Dollard
Federico García-De Castro
Fr. Thomas Lynch, OP

Made in the USA
Coppell, TX
13 April 2021